**Distribution:**

Pour le Canada:

Les Éditions Flammarion/Socadis
375, avenue Laurier Ouest,
Montréal (Québec) H2V 2K3
Tél.: (514) 277-8807 ou 331-3300

Pour la France:

Dilisco
122, rue Marcel Hartmann
94200 Ivry-sur-Seine
Paris (France)
Tél.: (1) 49 59 50 50

Pour la Belgique:

Vander, s. a.
321, avenue des Volontaires
B-1150 Bruxelles (Belgique)
Tél.: (32-02) 762-9804

Pour la Suisse:

Diffusion Transat s.a.
Route des Jeunes, 4ter
Case postale 1210
CH-1211 Genève 26
Tél.: (022) 342-7740

# Devenez une personne d'influence

*Comment jouer un rôle positif dans la vie des gens*

**Données de catalogage avant publication (Canada)**

Maxwell, John C., 1947-

Devenez une personne d'influence: comment jouer un rôle positif dans la vie des gens (Collection Réussite personnelle)

Traduction de: Becoming a person of influence.
Comprend des références bibliographiques

ISBN 2-89225-351-9

1. Influence (Psychologie). 2. Succès – Aspect psychologique. I. Dornan, Jim. II. Titre. III. Collection.

BF774.M3814 1998 158.2 C98-950598-2

Cet ouvrage a été publié en langue anglaise sous le titre original:
BECOMING A PERSON OF INFLUENCE, HOW TO POSITIVELY IMPACT THE LIVES OF OTHERS
Published by Thomas Nelson, Inc., Publishers in Nashville, Tennessee and distributed in Canada by Word Communications, Ltd., Richmond, British Columbia.

Dépôts légaux: 2e trimestre 1998
Bibliothèque nationale du Québec
Bibliothèque nationale du Canada
Bibliothèque nationale de France

Conception graphique de la couverture:
SERGE HUDON

Version française:
VERTERO

Photocomposition et mise en pages:
COMPOSITION MONIKA, QUÉBEC

ISBN 2-89225-351-9
(Édition originale: ISBN 0-7852-7100-7, Thomas Nelson, Inc., Tennessee)

*Nous reconnaissons l'aide financière du gouvernement du Canada par l'entremise du Programme d'Aide au Développement de l'Industrie de l'Édition pour nos activités d'édition.*

John C. Maxwell et Jim Dornan

# Devenez une personne d'influence

*Comment jouer un rôle positif dans la vie des gens*

Les éditions Un monde différent ltée
3925, Grande-Allée
Saint-Hubert (Québec), Canada
J4T 2V8

*À tous ceux qui ont influencé notre vie,*
*et, en particulier, à Eric Dornan,*
*dont la vie, les expériences,*
*et l'attitude ont permis plus que tout à*
*Jim et à Nancy d'améliorer leur aptitude*
*à exercer une influence positive sur les*
*gens de façon significative.*

# Table des matières

# Préface

Quand nous nous sommes rencontrés tous les deux, il y a quelques années, nous avons senti immédiatement que le courant passait très bien entre nous, comme si nous étions frères. Malgré nos antécédents si différents, nous avions tant de choses en commun. Jim a passé les trente dernières années dans le milieu des affaires, à enseigner aux gens comment atteindre le succès. En même temps, il bâtissait une société d'envergure internationale. De son côté, John venait de consacrer les vingt-huit dernières années à travailler dans le milieu des organismes sans but lucratif comme pasteur, dirigeant confessionnel et conférencier en matière de motivation. On le considère comme un des meilleurs formateurs des États-Unis en ce qui a trait au leadership et au développement personnel.

Notre point commun, c'est notre compréhension des gens et de l'impact positif que leur vie peut avoir sur les autres. Et cela se résume en un seul concept: l'influence. Nous connaissons le pouvoir de l'influence et nous voulons partager cette connaissance avec vous.

Nous vous invitons donc à vous joindre à nous et à poursuivre votre lecture. Nous allons vous faire part d'un grand nombre de nos réflexions, vous raconter des histoires amusantes et instructives, et partager avec vous des principes du tonnerre qui ont le pouvoir de changer votre vie et la vie de ceux que vous êtes en mesure d'influencer.

# Remerciements

Le présent ouvrage doit beaucoup à l'aide et aux encouragements de certaines personnes qui comptent dans notre vie.

À Margaret Maxwell, dont le soutien a permis à son mari de devenir une personne influente.

À Nancy Dornan, qui a incroyablement influencé son mari, sa famille et des centaines de milliers de personnes partout dans le monde.

À Mea Brink, pour ses suggestions et son aide dans la réalisation de ce livre.

À Stephanie Wetzel, pour son travail de révision et de correction d'épreuves.

À Linda Eggers, la meilleure adjointe qu'on puisse jamais trouver.

À Charlie Wetzel, notre scripteur, pour sa participation à la rédaction du livre.

# Introduction

Durant votre enfance, qui vouliez-vous être une fois devenu grand? Rêviez-vous d'être un acteur ou un chanteur célèbre? Ou bien encore président des États-Unis? Vous vouliez peut-être devenir un athlète olympique ou une des personnes les plus riches du monde. Nous avons tous des rêves et des ambitions. Vous en avez déjà sans doute réalisé une partie. Mais peu importe le degré de votre succès actuel, il vous reste encore des rêves et des objectifs. Et nous désirons vous aider à concrétiser vos rêves et à réaliser votre potentiel.

Commençons par un petit exercice. Regardez la liste suivante. Ces gens appartiennent à des groupes très divers, mais ils ont tous quelque chose en commun. Essayez de deviner quoi.

JOHN GRISHAM
GEORGE GALLUP
ROBERT E. LEE
DENNIS RODMAN
JAMES DOBSON
DAN RATHER
MADONNA
HIDEO NOMO
JERRY ET PATTY BEAUMONT
RICH DEVOS
MÈRE TERESA
BETH MEYERS

PABLO PICASSO
ADOLF HITLER
TIGER WOODS
ANTHONY BONACOURSI
ALANIS MORRISETTE
GLENN LEATHERWOOD
BILL CLINTON
JOHN WESLEY
ARNOLD SCHWARZENEGGER

***L'influence n'est pas innée.
Elle s'acquiert par étapes.***

Vous avez trouvé leur point commun? Certainement pas leur profession. Ces noms proviennent de listes d'écrivains et d'hommes d'État, d'athlètes célèbres et d'artistes, d'évangélistes et de dictateurs, d'acteurs et de gens d'affaires. Ce sont des hommes et des femmes, certains célibataires et d'autres mariés. Ils n'ont pas le même âge et appartiennent à un large éventail de nationalités et de groupes ethniques. Certains sont célèbres et d'autres vous sont certainement inconnus. Alors, la réponse? Quel est leur point commun? *Chacun d'eux est une personne d'influence.*

## TOUT LE MONDE EXERCE UNE CERTAINE INFLUENCE

Nous avons rédigé cette liste presque au hasard, en choisissant aussi bien des célébrités que des personnes qui ont compté dans notre vie. Vous pourriez tout aussi facilement faire la même chose. Nous voulions attirer votre attention sur le fait que nous exerçons tous une certaine influence, peu importe notre personnalité ou notre profession. Un politicien, tel que le président des États-Unis, a une énorme influence sur des centaines de millions de gens, et pas seulement dans son pays, mais dans le monde entier. Des artistes, comme Madonna et Arnold Schwarzenegger, influencent souvent toute une génération, au sein d'une ou plusieurs cultures. Un enseignant, comme Glenn Leatherwood, qui a éduqué John et des centaines d'autres garçons à l'école du dimanche, a eu un impact sur la vie de ses élèves et aussi, indirectement, sur la vie de ceux que ses élèves influencent à leur tour une fois devenus adultes.

Vous n'avez cependant pas besoin d'occuper une place très en vue pour avoir de l'influence. En fait, cela se produit dès que vous entrez en relation avec quelqu'un. Tout ce que vous faites chez vous, dans votre paroisse, à votre travail ou sur un terrain de sport, tout a un impact sur la vie d'autrui. Le poète et philosophe américain Ralph Waldo Emerson disait: «Tout homme est un héros et un oracle pour quelqu'un et, pour celui-là, tout ce qu'il dit prend plus de valeur.»

Si vous voulez connaître le succès ou jouer un rôle positif dans votre entourage, vous devez devenir une personne d'influence. Le succès est conditionnel à l'influence. Par exemple, si vous êtes vendeur et désirez augmenter vos ventes, vous devez être capable d'influencer vos clients. Si vous êtes cadre, votre réussite dépend de votre capacité d'influencer vos employés. Si vous êtes entraîneur, vous pouvez bâtir une équipe gagnante uniquement par votre influence sur les joueurs. Si vous êtes pasteur, votre capacité de toucher les gens et d'étendre votre ministère dépend de votre influence sur vos fidèles. Si vous désirez élever une famille saine et unie, vous devez être capable d'influencer vos enfants de façon positive. Quels que soient vos objectifs de vie ou ce que vous désirez accomplir, vous pourrez y parvenir plus vite, être plus efficace et apporter une contribution plus durable si vous apprenez à devenir une personne d'influence.

***Dès que vous entrez en relation avec quelqu'un, vous exercez une certaine influence.***

L'impact de l'influence est illustré par une histoire amusante, du temps où Calvin Coolidge était président des États-

Unis. Un invité avait passé la nuit à la Maison-Blanche, il était en train de prendre son petit-déjeuner avec le président et voulait faire bonne impression. Il remarqua que monsieur Coolidge avait pris la tasse de café qu'on venait de lui servir, versé un peu de café dans la soucoupe creuse, et, sans se presser, avait ajouté un peu de sucre et de crème. Soucieux de n'enfreindre aucune règle de l'étiquette, le visiteur suivit l'exemple du commandant en chef et versa un peu de son café dans sa soucoupe, puis ajouta du sucre et de la crème. Ensuite, il attendit de voir ce que le président allait faire. Quelle ne fut pas sa stupéfaction en le voyant déposer sa soucoupe par terre pour le chat. L'histoire ne raconte pas ce qu'a fait le visiteur.

## VOUS N'AVEZ PAS LE MÊME DEGRÉ D'INFLUENCE SUR TOUT LE MONDE

L'influence est une chose étrange. Même si nous avons un impact sur presque tout notre entourage, notre degré d'influence varie en fonction de chacun. Pour constater ce principe, la prochaine fois que vous rendrez visite à votre meilleur ami, essayez de vous faire obéir de son chien.

Vous n'avez peut-être pas beaucoup réfléchi à la question mais, d'instinct, vous savez probablement qui vous influencez beaucoup et qui vous n'influencez pas du tout. Par exemple, pensez à quatre ou cinq collègues de travail. Quand vous proposez une idée ou une suggestion, réagissent-ils tous de la même façon? Bien sûr que non. L'un peut trouver toutes vos idées intéressantes et l'autre toujours les accueillir avec scepticisme (vous êtes assurément capable de déterminer celui que vous influencez). Pourtant, le collègue qui se montre sceptique à votre égard peut adhérer à toutes les idées avancées par votre patron ou un autre de vos collègues. Ce qui vous indique simplement que vous l'influencez moins que d'autres.

Une fois que vous aurez commencé à prêter plus attention à la façon dont les gens réagissent par rapport à vous et à ceux qui les entourent, vous constaterez que les réactions sont attribuables au degré d'influence de chacun. Et vous prendrez rapidement conscience de votre degré d'influence sur votre entourage. Vous pourrez même remarquer qu'il varie au sein de votre famille. Si vous êtes marié et que vous avez deux enfants ou plus, réfléchissez à leur comportement respectif. Un enfant peut réagir particulièrement bien avec vous, alors que l'autre réagira mieux avec votre conjoint, selon celui des parents qui a le plus d'influence sur chacun.

## LES ÉTAPES DE L'INFLUENCE ET LEUR IMPACT

Si vous avez lu le livre de John, *Développez votre leadership*[1], vous vous rappelez probablement de la description des cinq niveaux de leadership présentés dans le premier chapitre. Voici une figure pour les illustrer:

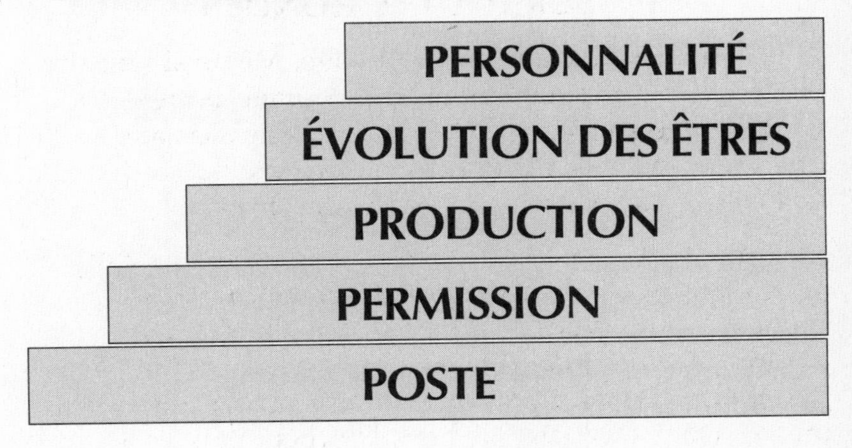


Votre leadership (et c'est précisément une application de l'influence) est à son plus bas niveau quand il se fonde uniquement sur le poste que vous occupez. Il augmente et change de niveau quand il repose sur la qualité de vos relations avec autrui. Vous franchissez cette étape quand on vous permet d'agir au-delà des limites inhérentes à la description de votre poste. Votre leadership progresse vers le troisième niveau à mesure que le travail mené avec votre équipe devient plus

1. Publié en 1996 aux éditions Un monde différent, pp. 21-28.

productif. Il atteint le quatrième niveau quand vous commencez à former les gens et à les aider à réaliser leur potentiel. Seulement quelques personnes atteignent le cinquième niveau parce qu'il faut pour cela consacrer sa vie au développement des autres jusqu'à ce qu'ils réalisent pleinement leur potentiel.

L'influence fonctionne de façon similaire. Elle n'est pas innée, elle s'acquiert plutôt par étapes. Voici une figure pour illustrer cette progression:

Considérons les étapes une à une:

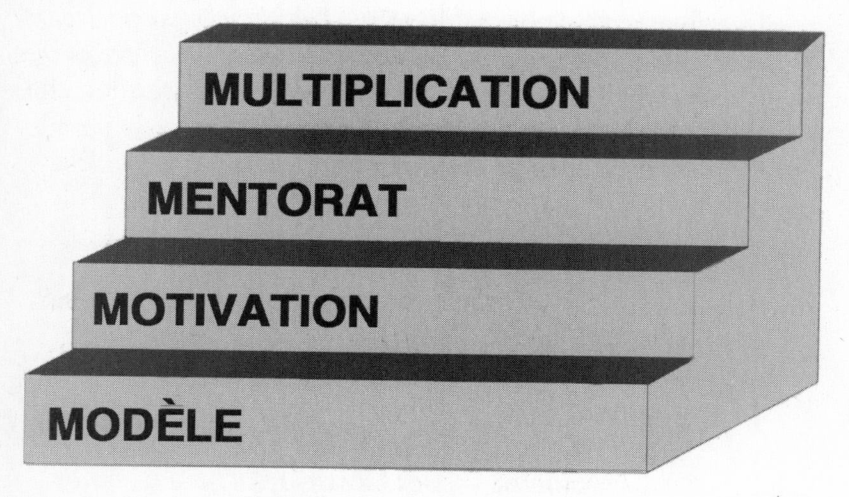


### *Première étape: Le modèle*

Les gens sont d'abord influencés par ce qu'ils voient. Vous l'avez probablement déjà constaté si vous avez des enfants. Peu importe ce que vous leur *dites* de faire, ils sont naturellement portés à imiter ce qu'ils *vous voient faire*. Si les gens vous perçoivent comme quelqu'un de positif, digne de confiance et pourvu de qualités admirables, la plupart chercheront à être influencés par vous. Et plus ils vous connaîtront, plus votre crédibilité et votre influence grandiront – à condition qu'ils aiment ce qu'ils voient.

Quand vous rencontrez des gens pour la première fois, vous n'avez d'abord aucune influence sur eux. Si quelqu'un à qui ils font confiance vous présente en disant du bien de vous, vous pouvez peut-être alors «emprunter» provisoirement un peu de son influence. Les gens présumeront que vous êtes crédible jusqu'à ce qu'ils vous connaissent mieux. Mais dès qu'ils auront le temps de vous observer, vos actions vous vaudront soit de renforcer, soit de perdre cette influence.

Le cas des célébrités représente une exception intéressante à cette règle. La télévision, le cinéma et les médias captivent tellement de gens qu'ils sont fortement influencés par des personnes qu'ils n'ont jamais rencontrées. Plus souvent qu'autrement, ce n'est pas leur influence qu'ils subissent, mais bien celle de leur image. Et cette image n'est pas forcément une représentation exacte de l'acteur, du politicien, de l'athlète ou de l'artiste en question. Cependant, on admire le personnage et on est influencé par les actions et les attitudes qu'on lui attribue.

***On peut être un modèle pour la masse mais, pour atteindre les plus hauts degrés de l'influence, il faut travailler avec les individus.***

### *Deuxième étape: La motivation*

Un modèle peut avoir une influence énorme, tout autant positive que négative. Et cette influence peut même s'exercer à distance. Mais pour avoir réellement un impact important sur la vie des autres, vous devez être près d'eux. C'est ce qui vous conduira à la deuxième étape: la motivation.

Pour devenir un motivateur influent, vous devez encourager les gens et établir avec eux une communication d'ordre affectif. Une relation de cette nature a deux effets: elle crée un pont entre eux et vous, et elle renforce leur confiance et leur sentiment de valeur personnelle. Quand on est à l'aise avec vous et qu'on se sent bien en votre présence, votre influence augmente alors considérablement.

### *Troisième étape: Le mentorat*

Une fois devenu un motivateur, vous pouvez commencer à constater votre impact positif sur la vie d'autrui. Pour augmenter cet effet et le rendre durable, vous devez passer à l'étape suivante: le mentorat.

Être un mentor, c'est puiser dans sa propre vie ce qui pourra aider les autres à se réaliser. Le mentorat est tellement puissant que vous pouvez vraiment voir la vie des gens que vous influencez se transformer sous vos yeux. En donnant de vous-même, en les aidant à surmonter les obstacles qu'ils rencontrent, et en leur montrant comment progresser au niveau personnel et professionnel, vous leur permettez de donner une toute nouvelle dimension à leur existence. Vous pouvez vraiment faire toute une différence dans leur vie.

### *Quatrième étape: La multiplication*

Cette étape correspond au plus haut degré d'influence possible. Votre influence a un effet multiplicateur quand vous aidez ceux dont vous êtes le mentor à exercer eux-mêmes une influence positive sur la vie des autres en transmettant non seulement ce qu'ils ont reçu de vous, mais également ce qu'ils ont appris et glané seuls. Peu de gens arrivent à la quatrième étape, mais nous en avons tous le potentiel. Cela exige désintéressement, générosité et prise en charge des responsabilités. Il faut aussi du temps. Pour augmenter votre influence sur les gens, vous devez accorder plus d'attention à chacun. On peut être un modèle pour la masse mais, pour atteindre les plus hauts degrés de l'influence, il faut travailler avec les individus.

Bill Westafer, un ami de John qui a travaillé à l'église Skyline de San Diego, notait: «Je ne dois jamais oublier qu'il y a des gens dont les sentiments et le bien-être dépendent de mon influence.» Cela mérite d'être retenu par chacun de nous. Si vous êtes le leader d'un grand nombre de personnes, ou si vous occupez un poste en vue, vous avez plus de responsabilité en raison de votre influence accrue. Ce que vous dites – et plus important encore, ce que vous faites – sert de modèle à ceux qui vous suivent. Leurs actions refléteront votre influence.

## VOTRE INFLUENCE EST SOIT POSITIVE, SOIT NÉGATIVE

Après avoir pris conscience de votre influence sur autrui, vous devez réfléchir à votre façon de l'exercer. Vous avez probablement remarqué le nom du basketteur professionnel Dennis Rodman dans la liste des personnes influentes, au début de l'introduction. On a souvent entendu Dennis Rodman déclarer qu'il ne voulait pas servir de modèle, il veut seulement être lui-même. Dennis ne comprend pas (ou refuse de reconnaître) qu'il est déjà un modèle. Il n'y peut rien. Il est un exemple pour toute sa famille, ses voisins et tous les gens qui le rencontrent dans le quartier où il fait ses courses. Et à cause de la profession qu'il a choisie, il sert de modèle à des millions de personnes – bien plus que s'il avait opté pour un autre métier, mécanicien par exemple. Il influence les gens et il a choisi le genre d'influence qu'il exerce.

***Même si vous avez eu un effet négatif sur les gens dans le passé, vous pouvez renverser la situation et avoir maintenant un impact positif.***

Le légendaire joueur de baseball, Jackie Robinson, notait: «La seule chose qui importe dans la vie, c'est notre impact sur la vie des autres.» Et il a eu un impact incroyable aux États-Unis. Au milieu des années 40, il a été le premier athlète afro-américain à jouer dans la ligue majeure de baseball, malgré les préjugés, les sarcasmes racistes, les insultes et les menaces de mort. Et il l'a fait dignement, avec un sens moral élevé. Brad Herzog, l'auteur de *The Sports 100*, considère Jackie Robinson comme la personne la plus influente de l'histoire du sport américain:

> D'abord, il y a ceux qui changent la façon de jouer... Ensuite, viennent des hommes et des femmes dont la présence et la performance modifient fondamentalement et pour toujours la scène sportive... Et pour finir, il y a quelques personnalités sportives dont l'influence a transcendé le terrain de jeu et pro-

duit un impact sur la culture américaine... Jackie Robinson, plus que tout autre, appartient à ces trois catégories en même temps.[1]

Martin Luther King, un des Américains les plus influents du XXe siècle, a reconnu l'impact positif de Jackie Robinson sur sa propre vie et sur la cause qu'il défendait. Il affirmait à Don Newcombe, un pionnier parmi les joueurs de baseball afro-américains: «Vous ne saurez jamais à quel point vous, Jackie et Roy [Campanella] avez rendu ma tâche possible.»

La plupart du temps, nous reconnaissons l'influence que nous avons sur nos proches – qu'elle soit bonne ou mauvaise. Mais nous oublions parfois celle que nous pouvons avoir sur notre entourage. C'est probablement ce qu'un auteur inconnu avait en tête quand il écrivait ce qui suit:

*«Ma vie touchera des dizaines de vies avant la fin de la journée*

*Et elle laissera d'innombrables marques, bonnes ou mauvaises, avant que le soleil ne se couche.*

*Voici mon vœu le plus cher et l'objet de mes prières:*

*Dieu, fais que ma vie aide ceux qu'elle touche au passage.»*

Quand vous entrez en interaction avec votre famille, vos collègues ou un employé de magasin, soyez conscient de votre impact sur eux. Vous influencez les membres de votre famille certainement plus que les étrangers que vous rencontrez. Et si vous avez une situation en vue, vous influencez des gens que vous ne connaissez pas. Cependant, même dans vos gestes quotidiens, vous avez un impact. Vous pouvez rendre pénibles les quelques minutes passées avec un employé de magasin ou de banque, ou vous pouvez choisir de sourire et d'enjoliver sa journée. Le choix vous appartient.

## AVEC UNE INFLUENCE POSITIVE, ON VALORISE LES AUTRES

Plus votre degré d'influence augmente et plus vous devenez actif, plus vous pouvez commencer à avoir un effet

---

1. Brad Herzog, *The Sports 100: The One Hundred Most Important People in American Sports History* (New York: MacMillan, 1995), p. 7.

positif sur les gens et valoriser leur vie. C'est vrai pour quiconque exerce une influence positive. La baby-sitter qui lit une histoire à un enfant lui donne le goût de la lecture et l'envie d'apprendre toute sa vie. L'enseignant qui accorde sa confiance et son amour à une petite fille et qui croit en elle l'aide à se sentir valorisée et bien dans sa peau. Le patron qui délègue à ses employés en partageant son autorité et ses responsabilités les aide à élargir leur horizon et à devenir meilleurs dans leur vie professionnelle et personnelle. Les parents qui savent quand et comment pardonner à leurs enfants les aident à rester ouverts et communicatifs, même pendant l'adolescence. Tous ajoutent de la valeur à la vie des autres de façon durable.

Nous ne savons pas quel genre d'influence vous exercez actuellement. Vous touchez peut-être la vie de milliers de personnes ou celle de quelques collègues et de votre famille. Le nombre n'est pas ce qui importe le plus. Mais il est crucial de se rappeler que votre degré d'influence n'est pas quelque chose de statique. Même si vous avez eu un effet négatif sur les gens dans le passé, vous pouvez renverser la situation et avoir maintenant un impact positif. Et si votre degré d'influence a été relativement faible jusqu'à présent, vous pouvez l'augmenter et devenir une personne influente qui aidera les autres.

C'est là, en fait, tout le propos du présent ouvrage. Nous voulons vous aider à devenir très influent, quelle que soit l'étape où vous en êtes dans votre vie et ce que vous faites pour la gagner. Vous pouvez avoir un impact extrêmement positif sur les autres. Vous pouvez ajouter beaucoup de valeur à leur vie.

## QUI FIGURE SUR LA LISTE DES PERSONNES INFLUENTES?

Chacun peut dresser la liste des gens qui ont valorisé sa vie. Nous avons mentionné que notre liste contient les noms de plusieurs personnes qui nous ont influencés, et dont certaines sont des personnages importants. Par exemple, John considère que John Wesley a joué un rôle significatif dans sa vie et sur sa carrière. Cet évangéliste du XVIII$^{e}$ siècle était leader, prédicateur et critique de société. Durant sa vie, il a provoqué des bouleversements dans l'église chrétienne en Angleterre et aux États-Unis. Même encore de nos jours, ses idées et ses enseignements continuent d'influencer le fonctionnement de l'église et les croyances des chrétiens. John le considère comme le plus grand personnage depuis l'apôtre Paul.

D'autres personnes de notre liste ne sont pas aussi célèbres, mais cela ne diminue en rien leur degré d'influence. Par exemple, Jerry et Patty Beaumont ont eu un impact profond sur la vie de Jim et de sa femme, Nancy. Voici leur histoire:

> Nancy et moi avons rencontré Jerry et Patty il y a presque 25 ans. À cette époque, Nancy et Patty étaient toutes deux enceintes. Les Beaumont étaient un couple remarquable – vraiment intelligents et très sûrs d'eux. Ils nous ont immédiatement plu parce qu'ils semblaient vraiment avoir mis de l'ordre dans leur vie et nous avons remarqué qu'ils respectaient leurs convictions spirituelles avec intégrité et constance.
>
> Nancy avait rencontré Patty dans la salle d'attente d'un obstétricien. Elles ont tout de suite sympathisé et commencé à se fréquenter. Nous n'avions aucune idée du rôle important que jouerait cette amitié quelques mois plus tard, au moment où notre vie a basculé.
>
> Nancy et moi nous souvenons à présent de cette époque comme d'une belle période de notre vie. Notre fille Heather avait cinq ans et nous apportait beaucoup de joie. Nous venions également de nous lancer en affaires. Cela nous prenait beaucoup de temps et d'énergie, mais c'était amusant. Nous commencions à voir que tout notre travail allait bientôt devenir rentable.
>
> J'étais en extase quand Nancy m'a appris qu'elle était enceinte. Notre petite famille allait s'agrandir et nous espérions avoir un garçon.
>
> Après neuf mois d'une grossesse sans histoire, Nancy a donné naissance à notre premier fils, Eric. Tout semblait normal au début. Mais quelques heures après l'accouchement, les médecins ont découvert qu'Eric souffrait de plusieurs problèmes phy-

siques très graves. Ils nous ont expliqué qu'il avait une fissure dans le dos et que sa colonne vertébrale s'était mal développée, une malformation appelée spina-bifida. Pour compliquer les choses, le liquide céphalorachidien spinal s'était infecté pendant la délivrance, et Eric était également atteint d'une méningite grave.

Notre vie a semblé basculer dans le chaos. Après l'accouchement qui avait duré des heures, Nancy et moi étions épuisés et désorientés. Les médecins nous ont prévenus qu'Eric avait besoin d'une opération au cerveau et qu'il fallait prendre une décision sur-le-champ. Sinon, il n'avait aucune chance de survivre. Même avec une opération, nous n'étions sûrs de rien. Nous avons pleuré pendant qu'ils préparaient notre petit garçon – à peine âgé de quelques heures – pour le transporter à l'hôpital pour enfants et l'opérer de toute urgence au cerveau. Tout ce que nous pouvions faire, c'était prier pour qu'il s'en sorte.

Notre attente a duré une éternité, mais les médecins sont finalement venus nous dire qu'Eric allait survivre. Nous avons été bouleversés en le voyant après son opération. Comment un bébé aussi petit pouvait avoir tant de fils après lui. Ils avaient suturé la fissure de son dos, mais nous pouvions voir qu'ils avaient inséré un petit tube dans son cerveau pour drainer l'excès de liquide céphalorachidien spinal et faire baisser la pression.

Nous avons traversé la première année dans une sorte de brouillard, car Eric était fréquemment hospitalisé. Pendant les neuf premiers mois, il a subi onze autres opérations – dont trois en l'espace d'un seul week-end. Tout arrivait si vite que nous étions submergés et même incapables de comprendre ce que l'avenir nous réservait.

Pendant que nous tentions de survivre aux expéditions à l'hôpital en pleine nuit et de tenir le coup malgré notre chagrin et nos craintes, devinez qui s'est tenu à nos côtés pour nous aider à passer au travers de chaque journée? Jerry et Patty Beaumont. À l'hôpital, le jour de la naissance d'Eric, ils nous avaient réconfortés et encouragés pendant qu'il était dans la salle d'opération. Ils nous ont apporté à manger et se sont assis avec nous dans la salle d'attente. Et pendant tout ce temps, ils partageaient leur grande foi avec nous.

Plus important encore, ils nous ont convaincus que Dieu avait un projet spécial pour Eric et nous. «Vous savez», a dit un jour Patty à Nancy, Jim et vous, vous pouvez centrer votre vie autour

> des problèmes d'Eric, ou les utiliser pour donner une nouvelle dimension à votre existence. »
>
> C'est alors que notre vie a pris un tournant. Nous avons commencé à regarder au-delà de la situation pour voir ce qu'elle cachait de plus grand. Nous avons réalisé que Dieu avait un projet autant pour nous que pour Eric, et notre foi nous a donné la force et la paix. Les Beaumont nous avaient aidés à nous poser quelques-unes des questions les plus importantes et à trouver les réponses. Depuis ce jour-là, nous avons complètement changé d'attitude et nous avons beaucoup d'espoir.

Cela s'est passé il y a plus de 20 ans, Jim et Nancy ont perdu la trace des Beaumont, bien qu'ils aient essayé de les retrouver. Eric a grandi et il se débrouille plutôt bien dans son fauteuil roulant électrique, malgré un accident vasculaire cérébral au cours d'une de ses opérations. Il est une intarissable source de joie, d'inspiration et de plaisir pour la famille Dornan. Leur relation avec Jerry et Patty Beaumont n'a duré qu'un an environ, mais Jim et Nancy reconnaissent l'énorme valeur que le couple a donnée à leur vie et le classe encore parmi les gens qui ont eu le plus d'impact sur leur existence.

Aujourd'hui, Jim et Nancy sont des personnes influentes. Leur société s'étend à plus de 26 pays aux quatre coins du monde: de l'Europe de l'Est jusqu'au Pacifique et du Brésil et de l'Argentine jusqu'en Chine continentale. Avec leurs séminaires, leurs cassettes et leurs vidéos, ils ont un impact sur des milliers de personnes et de familles chaque année, et leur société continue de prendre de l'expansion. Mais ce qui compte le plus à leurs yeux, c'est qu'ils partagent leurs valeurs et leur grande foi avec les gens qu'ils influencent. Ils font tout ce qui est en leur pouvoir pour valoriser la vie de tous ceux qu'ils touchent.

Récemment, John s'entretenait avec Larry Dobbs, président et éditeur de Dobbs, un groupe d'édition qui produit des magazines comme *Mustang Monthly, Corvette Fever et Muscle-car Review*. Ils discutaient de l'influence et Larry lui a un peu parlé de sa vie: «Tu sais John, mon père était métayer, alors il n'a jamais possédé grand-chose. À sa mort, il m'a laissé un seul dollar, mais il m'a donné tellement plus que cela. Il m'a transmis ses valeurs.» Puis, Larry a ajouté une réflexion très profonde: «Le seul héritage que laisse un homme, c'est son influence, dont la valeur est éternelle.»

Nous ne savons pas exactement ce dont vous rêvez dans la vie ni ce que vous souhaitez laisser en héritage. Mais pour avoir un impact, il vous faudra devenir une personne capable d'influencer les gens. Il n'y a pas d'autres moyens de toucher efficacement leur vie. Et, si vous devenez une personne influente, peut-être qu'un jour des gens inscriront votre nom sur la liste de ceux qui ont fait une différence dans leur vie.

Chapitre 1

## *Une personne d'influence est*

# UN MODÈLE D'INTÉGRITÉ

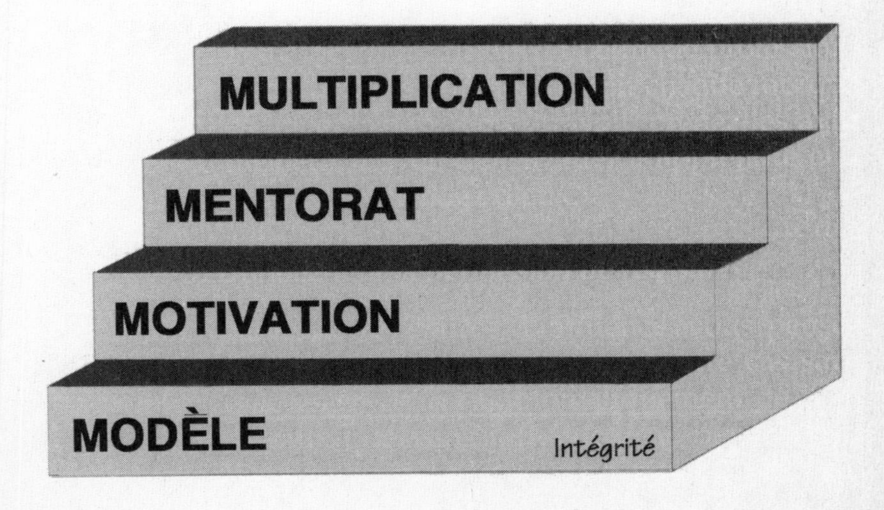

Il y a quelques années, pendant un voyage d'affaires en Europe, ma femme Nancy et moi avons fêté son anniversaire à Londres. En guise de cadeau, je l'ai emmenée à la boutique Escada pour lui acheter quelques vêtements.

Elle en a essayé plusieurs, et ils lui plaisaient tous. Pendant qu'elle tentait de se décider dans le salon d'essayage, j'ai demandé à la vendeuse de tout emballer. Nancy a protesté. Elle se sentait gênée d'acheter tant de choses d'un seul coup, mais j'ai insisté. Nous savions tous deux qu'elle ferait bon usage des vêtements, surtout qu'ils lui allaient tous à ravir.

Quelques jours plus tard, nous prenions le long vol de retour depuis l'aéroport Heathrow, à Londres, jusqu'à l'aéroport international de San Francisco. À notre arrivée, nous avons fait la queue à l'inévitable contrôle douanier et on nous a demandé ce que nous avions à déclarer. Nous avons mentionné les vêtements de Nancy et précisé la somme dépensée.

«Quoi?», s'est exclamé le douanier, «vous déclarez des vêtements!» En regardant notre déclaration, il a ajouté: «Vous voulez plaisanter?» Bien sûr, ils nous avaient coûté un peu cher, mais nous ne pensions pas qu'il y avait de quoi en faire toute une histoire. «En quoi sont ces vêtements?», nous a-t-il demandé.

La question semblait étrange. «En tissus divers», a répondu Nancy. «En laine, en coton, en soie. Il y a plusieurs articles différents: des robes, des manteaux, des chemisiers, des chaussures, des ceintures et des accessoires. Pourquoi?

– Les droits de douane sont distincts pour chaque matière», a-t-il répondu. «Je dois aller voir mon supérieur. Je ne connais même pas tous les tarifs. Personne ne déclare jamais de vêtements.» Il semblait frustré. «Avancez, sortez tous vos articles et rangez-les selon leur composition.» Pendant que nous ouvrions nos bagages, il est parti et nous l'avons entendu dire au passage à l'un de ses collègues: «Bobby, tu ne croiras jamais ce que...»

Il nous fallut un bon 45 minutes pour tout trier et compter ce que nous avait coûté chaque série d'articles. Les droits de douane étaient somme toute plutôt élevés, environ 2 000 dollars. Pendant que nous remettions tout dans nos bagages, le douanier m'a dit: «Vous savez, je crois que je vous connais. Vous êtes Jim Dornan, n'est-ce pas?

– Oui», lui répondis-je. «Excusez-moi, mais nous sommes-nous déjà rencontrés? (Son visage m'était inconnu).

– Non, mais j'ai un ami qui est dans votre organisation. Elle s'appelle Network 21, n'est-ce pas?

– C'est juste.

– Je vous ai déjà vu en photo. Mon ami m'a expliqué que j'aurais grand avantage à faire partie de votre organisation, mais je n'ai pas vraiment écouté. Maintenant, je crois que je vais y réfléchir. Il a peut-être raison après tout. Vous savez, la plupart des voyageurs tentent de passer la douane sans déclarer des tas de choses pour éviter de payer les taxes, même des choses qu'ils savent fort bien qu'ils devraient déclarer. Mais vous, vous faites une déclaration alors que vous auriez pu passer vos vêtements sans problème et probablement économiser une somme tout à fait respectable!

– C'est sans doute vrai», répondit Nancy, «mais je peux me passer de l'argent que me coûtent les taxes, bien plus que je peux négliger d'avoir la conscience tranquille.»

En faisant la queue ce jour-là, il ne nous était même pas venu à l'idée, à Nancy ou à moi, que quelqu'un pouvait nous connaître. Si nous avions eu l'intention de frauder, nous n'aurions jamais imaginé être reconnus, nous aurions cru agir dans l'anonymat. Et je crois que c'est souvent ce qui arrive à ceux qui essaient de faire des économies d'argent. Ils pensent qu'on ne le saura pas. Mais en vérité, certaines personnes sont au courant. Votre conjoint, vos enfants, vos amis et vos associés savent tout. Et plus important encore, même si vous réussissez très bien à cacher votre jeu et qu'ils ignorent vos intentions, vous, *vous êtes au courant*! Et il ne faut pas perdre ou vendre votre intégrité à *aucun* prix.

L'anecdote de Jim et du douanier est seulement un petit exemple pour illustrer de quelle façon l'intégrité est considérée de nos jours. C'est triste à dire, mais elle ne semble plus de mise depuis longtemps et beaucoup de gens paraissent choqués face à un comportement honnête. Le simple savoir-vivre, les convenances ne sont plus d'usage courant.

## LA VÉRITABLE INTÉGRITÉ N'EST PAS À VENDRE

La question du sens moral intervient dans tous les aspects de la vie. Il y a quelques années, par exemple, le financier Ivan Bœsky a expliqué sans détour aux étudiants de l'École de commerce de l'UCLA que la «cupidité» était une bonne chose. Cette mentalité corrompue n'a pas tardé à lui attirer des ennuis. Quand on a éventé ses pratiques immorales à Wall Street, il a été condamné à une amende de 100 millions de dollars et à une peine de trois ans de prison. Récemment, on a appris qu'il était ruiné et vivait grâce à la pension alimentaire de son ex-femme.

***De nos jours, le besoin d'intégrité est sans doute plus important que jamais. L'intégrité est absolument indispensable pour devenir une personne influente.***

Le gouvernement lui non plus n'est pas à l'abri des problèmes causés par le manque d'intégrité. Le ministère de la Justice poursuit des fonctionnaires comme jamais auparavant et il s'est récemment vanté d'en avoir condamné plus de 1 100 en une année – un record peu enviable.

Quel que soit le milieu, on trouve partout des exemples de manquement à la morale. Des pasteurs en vogue à la télévision font preuve de faiblesse morale; des mères noient leurs enfants; des athlètes professionnels sont surpris dans une chambre d'hôtel en possession de drogues ou en compagnie de prostituées. La liste ne cesse de s'allonger. Apparemment, beaucoup de gens considèrent l'intégrité comme un concept démodé, quelque chose dont on peut se passer ou qui n'a plus sa raison d'être dans notre univers à 100 à l'heure. Mais de nos jours, le besoin d'intégrité est sans doute plus important que jamais. Et l'intégrité est absolument indispensable pour devenir une personne influente.

Dans son best-seller *Les sept habitudes de ceux qui réalisent tout ce qu'ils entreprennent*, Stephen Covey explique combien il importe d'être intègre pour avoir du succès:

> «Si j'essaie d'employer les stratégies et les tactiques de l'influence pour que les gens fassent ce que je veux, travaillent mieux, soient plus motivés, m'aiment et s'aiment entre eux – alors que mon sens moral est fondamentalement corrompu et que ma duplicité et mon manque d'honnêteté sont manifestes – je ne pourrai jamais y parvenir à long terme. Ma duplicité suscitera la méfiance et tout ce que je ferai – même en employant des techniques de relations humaines soi-disant bonnes – sera perçu comme de la manipulation.
>
> «L'habileté à communiquer ou même la validité des intentions, quelle qu'elle soit, n'y changera rien; le manque de confiance sape les bases de la réussite permanente. Seule une bonté élémentaire anime la technique.»[1]

L'intégrité est cruciale pour la réussite personnelle et le succès en affaires. La Graduate School of Management de l'UCLA et la Korn/Ferry International de New York ont mené une étude conjointe portant sur 1 300 cadres supérieurs. Ils ont été 71 % à affirmer que l'intégrité est la qualité primordiale pour réussir en affaires. Une autre étude, menée par le Center for Creative Research, a révélé que même si celui qui veut atteindre le sommet d'une organisation peut surmonter beaucoup d'erreurs et d'obstacles, il lui sera presque toujours impossible de gravir les échelons s'il compromet son intégrité en trahissant la confiance.

## L'INTÉGRITÉ SE MESURE DANS LES PETITS RIENS

Si l'intégrité est extrêmement importante pour réussir en affaires, elle devient cruciale pour acquérir de l'influence. C'est l'assise sur laquelle repose d'autres qualités comme le respect, la dignité et la confiance. Si cette intégrité laisse à désirer ou si elle est fondamentalement corrompue, il devient alors impossible d'être une personne influente. Comme le fait

1. Stephen R. Covey, *Les sept habitudes de ceux qui réalisent tout ce qu'ils entreprennent* (First, 1996).

remarquer Cheryl Biehl: «Une des vérités premières, c'est qu'on ne peut pas réellement faire confiance à quelqu'un si on ne peut pas lui faire confiance en tout.» Même les gens qui réussissent à masquer leur absence d'intégrité pendant un certain temps finiront par connaître l'échec et perdre l'influence provisoirement acquise.

Les avantages de l'intégrité sont comparables à ceux des fondations d'une maison pendant la tempête. Si les fondations sont solides, alors elles tiendront le coup en dépit des averses violentes. Mais s'il y a des fissures, la force des éléments les creusera jusqu'à ce que les fondations – puis toute la maison – s'écroulent sous la pression.

***L'intégrité est la qualité primordiale pour réussir en affaires.***

Voilà pourquoi il est crucial de demeurer intègre en s'occupant des petits riens. Beaucoup de gens ne comprennent pas cela. Ils croient possible de faire n'importe quoi tant qu'il s'agit de choses mineures, et que si leurs manquements demeurent minimes, tout va bien. Mais il n'en est pas ainsi. Voici la définition de l'intégrité selon le nouveau Petit Robert: «1. État d'une chose qui est demeurée intacte. 2. Vertu, pureté totale. 3. État d'une personne intègre.» Les principes moraux ne sont pas flexibles. Un mensonge pieux demeure un mensonge. Un vol est un vol – qu'on ait volé un dollar, mille dollars ou un million. Être intègre, c'est s'engager à faire passer le sens moral avant le profit personnel, les gens avant les choses, le service avant le pouvoir, le principe avant la facilité, le long terme avant l'immédiat.

Phillips Brooks, un ecclésiastique du XIXe siècle, soutenait: «C'est dans les petits riens de la vie qu'on bâtit son caractère.» Chaque infraction à un principe moral donne naissance à une petite fissure dans les fondations de votre intégrité. Et pendant les périodes pénibles, il ne vous sera pas plus facile mais plus difficile d'agir avec intégrité. Le sens moral ne voit pas le jour en temps de crise, il ne fait que se révéler. Tout ce que vous avez fait dans le passé – et tout ce que vous avez négligé de faire – refait surface quand vous êtes sous pression.

Devenir intègre et le rester exige une attention constante. Josh Weston, président-directeur général de Automatic Data Processing, Inc., l'affirme: «J'ai toujours essayé de vivre en respectant la règle suivante: "Ne faites pas quelque chose qui vous mettrait mal à l'aise si vous le voyiez à la une de votre journal le lendemain matin".» C'est un bon critère que nous devrions tous retenir.

## L'INTÉGRITÉ EST UN TRAVAIL INTÉRIEUR

Si beaucoup de gens se trouvent tant confrontés au problème de l'intégrité, c'est en partie parce qu'ils ont tendance à justifier leur insuffisance de sens moral par des raisons extérieures à eux. Mais l'acquisition et le renforcement de l'intégrité est un travail intérieur. Considérez les trois vérités suivantes qui vont à l'encontre de ce qu'on pense en général:

### *1. L'intégrité ne dépend pas des circonstances*

Selon certains psychologues et sociologues actuels, bon nombre de gens dont le sens moral est faible seraient différents s'ils avaient grandi dans un autre milieu. Eh bien, il est vrai que l'éducation et les circonstances contribuent au développement de la personnalité, surtout pendant l'enfance. Mais plus on vieillit, plus on fait de choix – pour le bien ou le mal. Prenons deux personnes qui ont grandi dans le même milieu, voire la même famille, l'une peut être intègre et l'autre pas. En fin de compte, vous êtes responsable de vos choix. Les circonstances ne sont pas plus responsables de votre sens moral qu'un miroir ne l'est de votre image. Ce que vous voyez reflète seulement ce que vous êtes.

### *2. L'intégrité ne repose pas sur le statut*

Dans le bon vieux temps, les briquetiers, les graveurs et les autres artisans signaient ce qu'ils avaient créé avec un symbole qui permettait d'établir l'origine de l'œuvre. Ils employaient un symbole qui correspondait à leur «éthique». La valeur de l'ouvrage était proportionnelle à l'habileté mise en œuvre pour l'exécuter. Et on estimait l'artisan seulement si le travail était de grande qualité. En d'autres termes, seuls la qualité du travail et celle de l'artisan déterminaient la valeur de son statut. Si le travail était bon, il en était de même de l'artisan. S'il était mauvais, alors on considérait que l'éthique de l'artisan laissait à désirer.

Cela demeure encore vrai aujourd'hui. Notre sens moral dépend du genre de personne que nous sommes. Cependant, certains aimeraient être jugés non pour ce qu'ils sont, mais bien pour les titres qu'ils ont mérités ou le poste qu'ils occupent, peu importe la qualité de leur sens moral. Ils se veulent influents par le poids de leur statut plutôt que par la force de leur caractère. Mais le statut ne permet jamais d'accomplir ce qui relève du sens moral. Notez bien certaines différences entre les deux:

| **Statut** | **Sens moral** |
|---|---|
| Éphémère | Permanent |
| Centré sur les droits | Centré sur les responsabilités |
| Valorise une seule personne | Valorise beaucoup de gens |
| Évoque les réalisations passées | Constitue un héritage pour l'avenir |
| Est souvent source de jalousie | Engendre le respect et l'intégrité |
| Vous permet seulement de franchir la porte | Vous permet de rester |

Aucun titre, aucun diplôme, aucun poste, aucune fonction, aucune récompense, aucune licence, ni autre statut d'aucune sorte ne peut remplacer la pure intégrité fondamentale quand il s'agit du pouvoir d'influencer les autres.

### *3. Il ne faut pas confondre intégrité et réputation*

Certains font l'erreur d'accorder trop d'importance à l'image ou à la réputation. William Hersey Davis déclarait ce qui suit sur la différence entre le sens moral et son ombre, la réputation:

«Les circonstances de la vie déterminent votre réputation...
Ce que vous croyez détermine votre sens moral...
Votre réputation correspond à ce que vous êtes supposé être;
Votre sens moral correspond à ce que vous êtes vraiment...
La réputation est la photographie;
Le sens moral est le visage...
La réputation vous vient de l'extérieur;
Le sens moral prend forme en vous-même...
La réputation est ce que vous apportez en arrivant au sein d'une nouvelle collectivité;
Le sens moral est ce que vous emportez en partant.
Votre réputation se fait en un instant;
Votre sens moral se bâtit tout au long de votre vie...
Votre réputation peut être compromise en une heure;
Votre sens moral reste dans l'ombre pendant une année...
La réputation grandit à la vitesse d'un champignon;
Le sens moral dure une éternité...
La réputation fait de vous un homme riche ou pauvre;
Le sens moral fait votre bonheur ou votre malheur...
La réputation, c'est ce que les hommes disent de vous sur votre tombe;
Le sens moral, c'est ce que les anges disent de vous devant le Trône de Dieu.»

Une bonne réputation est assurément précieuse. Salomon, le roi de l'antique Israël, déclarait: «Le bon renom l'emporte sur de grandes richesses, la considération, sur l'or et l'argent».[1] Mais il n'existe que s'il reflète le sens moral de quelqu'un. Si une bonne réputation vaut de l'or, être intègre, c'est être propriétaire de la mine. Souciez-vous moins de votre réputation et plus de votre caractère profond. D.L. Moody écrivait: «Si je veille à rester intègre, ma réputation se fera toute seule.»

1. (Proverbes 22, 1).

Si vous avez du mal à demeurer intègre et que vous faites tout ce qu'il faut à *l'extérieur* – mais que vous continuez d'obtenir de mauvais résultats –, c'est que quelque chose ne va pas à *l'intérieur* et doit encore être changé. Examinez les questions suivantes. Elles vous aideront peut-être à déterminer les domaines où il y a matière à correction.

---

## QUESTIONNAIRE POUR MESURER VOTRE INTÉGRITÉ

1. Comment je traite ceux dont je ne peux rien attendre?
2. Suis-je transparent avec les gens?
3. Est-ce que mon comportement dépend des gens qui m'entourent?
4. Suis-je le même sous le feu des projecteurs et quand je suis seul?
5. Est-ce que j'admets rapidement mes torts sans qu'on m'y pousse?
6. Les gens passent-ils avant mes intérêts personnels?
7. Mes décisions sont-elles fondées sur une éthique immuable ou dépendent-elles des circonstances?
8. Suis-je capable de prendre des décisions difficiles, même si je dois payer de ma personne?
9. Quand j'ai quelque chose à reprocher à quelqu'un, est-ce que je lui en parle *à lui* ou si j'en parle *aux autres*?
10. Est-ce que je rends compte de mes pensées, de mes paroles et de mes actions à au moins une personne?

Ne répondez pas trop rapidement. Si votre sens moral est faible et laisse beaucoup à désirer, vous aurez sans doute tendance à effleurer les questions et à répondre en fonction de ce que vous souhaiteriez être plutôt que de ce que vous êtes réellement. Prenez le temps de peser chaque question en toute sincérité. Puis veillez à améliorer les domaines les plus critiques. Et n'oubliez pas:

> *Beaucoup de gens réussissent momentanément avec ce qu'ils savent;*
> *Quelques-uns réussissent provisoirement par ce qu'ils font;*
> *Mais rares sont ceux qui réussissent définitivement grâce à ce qu'ils sont.*

Le chemin de l'intégrité n'est peut-être pas le plus facile, mais c'est le seul qui vous mènera là où vous voulez vraiment aller.

## L'INTÉGRITÉ EST VOTRE MEILLEUR ATOUT

Nathaniel Hawthorne, un auteur américain estimé du XIXe siècle, a proposé la réflexion suivante: «Personne ne peut longtemps porter un masque sans qu'on finisse par découvrir son véritable visage.» Chaque fois que vous compromettez votre intégrité, vous vous causez un tort incroyable. C'est que l'intégrité est vraiment votre meilleur atout. Jamais elle ne vous trahira ou vous mettra dans une situation compromettante. Elle est la gardienne de vos priorités et si vous êtes tenté de prendre des raccourcis, elle vous aidera à rester dans le droit chemin. Si vous êtes injustement critiqué, l'intégrité vous permettra de continuer votre chemin noblement, sans désir de vengeance. Et si les critiques sont valables, elle vous aidera à les accepter, à en tirer des leçons et à continuer de progresser.

Abraham Lincoln a déclaré: «Quand je laisserai les rênes du gouvernement, je veux qu'il me reste encore un ami. Et cet ami se trouve en mon for intérieur.» On pourrait presque dire que son meilleur ami était son intégrité, car Abraham Lincoln a subi de violentes critiques durant son terme. Voici ce qu'il a dû affronter, comme l'a décrit Donald T. Phillips:

> «Abraham Lincoln a sans doute été le plus calomnié, le plus haï et le plus raillé de tous les chefs d'État... La presse de l'époque l'a affublé de tous les surnoms imaginables. Entre autres, de babouin grotesque, d'avocat local de bas étage qui a autrefois divisé le chemin de fer et divise maintenant l'Union, de farceur grossier et vulgaire, de dictateur, de singe, de bouffon, et ainsi de suite. L'*Illinois State Register* l'a surnommé «le politicien le plus rusé et le plus malhonnête à avoir déshonoré une fonction aux États-Unis...» Les critiques sévères et injustes ne se sont pas arrêtées quand il a prêté le serment d'office et ne provenaient pas non plus uniquement des sympathisants sudistes. Elles émanaient de l'intérieur de l'Union même, du Congrès, de certaines factions du Parti républicain et, en premier lieu, de son propre cabinet. En tant que prési-

dent, Abraham Lincoln a appris que, quoi qu'on fasse, il y aura toujours des gens à qui cela ne plaît pas.[1]

Contre vents et marées, Abraham Lincoln fut un homme de principe. Et comme Thomas Jefferson le disait avec sagesse: «Plaise à Dieu que les hommes de principe puissent devenir les hommes les plus importants.»

## L'INTÉGRITÉ EST LE MEILLEUR ATOUT DE VOS AMIS

L'intégrité est votre meilleur atout. Elle est aussi un des meilleurs atouts que vos amis auront jamais. Quand les gens de votre entourage reconnaissent votre intégrité, ils savent que vous cherchez à les influencer pour les valoriser. Ils n'ont pas à s'inquiéter de vos motifs.

On a récemment vu, dans le *New Yorker*, une bande dessinée qui montre comme il peut être difficile de saisir les motifs de quelqu'un. Elle représente des cochons rassemblés autour d'une auge qu'un fermier remplit à ras bord. Un des cochons se tourne vers les autres et leur dit: «Est-ce que vous vous êtes déjà demandé *pourquoi* il est si bon à notre égard?» Une personne intègre influence les gens parce qu'elle désire *rendre* service – et non pas en *retirer* quelque chose pour elle.

Si vous êtes amateur de basket-ball, vous vous souvenez probablement de Red Auerbach. Il a été président et directeur général des Celtics de Boston de 1967 à 1987. Il avait fort bien compris que l'intégrité valorise les gens, en particulier quand on travaille en équipe. Sa méthode de recrutement était différente de celle de la plupart des dirigeants de la NBA. Quand il examinait la candidature d'un nouveau joueur, il tenait compte avant tout du caractère du jeune homme, alors que les autres se préoccupaient presque uniquement de la performance individuelle et des statistiques. Red Auerbach voulait connaître l'attitude du joueur. Selon lui, le meilleur moyen de

---

1. Donald T. Phillips, *Lincoln on Leadership: Executive Strategies for Tough Times* (New York: Warner Books, 1992), pp. 66-67.

gagner, c'était de trouver des joueurs qui donneraient le meilleur d'eux-mêmes et travailleraient pour le bien de l'équipe. Ceux qui avaient un talent remarquable, mais dont le caractère laissait à désirer ou qui ne pensaient qu'à leur avancement, n'étaient pas vraiment des atouts.

## LES RETOMBÉES DE L'INTÉGRITÉ: LA CONFIANCE

L'essentiel dans l'intégrité, c'est qu'elle permet aux gens de vous faire confiance. Et sans confiance, vous êtes démuni. C'est le facteur le plus important en matière de relations personnelles et professionnelles, elle cimente les liens entre les gens. Et c'est la clé pour avoir de l'influence.

De nos jours, la confiance est une donnée fondamentale de plus en plus rare. On est devenu de plus en plus soupçonneux et sceptique. Bill Kynes a exprimé le sentiment de toute une génération en écrivant:

> «On pensait pouvoir faire confiance à l'armée, puis arriva la guerre du Viêt-nam;
>
> On pensait pouvoir faire confiance aux politiciens, puis arriva le scandale du Watergate;
>
> On pensait pouvoir faire confiance aux ingénieurs, puis arriva la catastrophe de Challenger;
>
> On pensait pouvoir faire confiance à notre courtier, puis arriva le Lundi noir;
>
> On pensait pouvoir faire confiance aux pasteurs, puis arriva le PTL et Jimmy Swaggart.
>
> Alors, à qui puis-je faire confiance?[1]

Dans le temps, vous pouviez tenir pour acquis qu'on vous ferait confiance, jusqu'à ce qu'on ait une bonne raison de perdre cette confiance. Mais de nos jours, la plupart des gens attendront d'abord que vous vous soyez montré digne de confiance. D'où l'importance de l'intégrité si vous voulez devenir

---

1. Bill Kynes, «A Hope That Will Not Disappoint», extrait de *Best Sermons 2* (New York: Harper and Row, 1989), p. 301.

influent. On ne vous fera confiance que si vous faites preuve d'un sens moral irréprochable.

***«C'est dans les petits riens de la vie qu'on bâtit son caractère.»***
*Phillips Brooks*

On a aujourd'hui désespérément besoin de leaders, mais on veut être influencé uniquement par ceux en qui on peut avoir confiance, des gens de qualité. Pour être en mesure d'avoir une influence positive, vous devez développer les qualités suivantes, qui vont de pair avec l'intégrité, et vivre en accord avec elles chaque jour de votre vie:

- **Affichez une constance de caractère**. Un lien de confiance solide ne peut se développer que si vous êtes digne de confiance *en tout temps*. Si on ne sait jamais d'un moment à l'autre à quoi s'attendre de votre part, la relation n'atteindra jamais la profondeur d'une confiance sereine.
- **Soyez sincère dans votre façon de communiquer**. Pour mériter la confiance, vous devez ressembler à une bonne composition musicale: les mots doivent s'harmoniser avec la musique.
- **Valorisez la transparence**. On finira par découvrir vos défauts, même si vous essayez de les cacher. Mais si vous êtes honnête avec les gens et que vous admettez vos faiblesses, on appréciera votre honnêteté et votre intégrité. Et on pourra établir une meilleure relation avec vous.
- **Soyez l'humilité en personne**. On ne vous fera pas confiance si on voit que vous êtes mené par votre ego, votre jalousie ou un sentiment de supériorité.
- **Démontrez que vous voulez aider les gens**. Rien ne peut mieux développer votre caractère ou le mettre en valeur que votre désir de faire passer l'intérêt des autres en premier lieu. Comme le dit notre ami Zig Ziglar: «Aidez suffisamment de gens à réussir et vous réussirez vous aussi.»

- **Tenez vos promesses**. Ne faites jamais une promesse que vous ne pourrez pas tenir. Et quand vous vous engagez à faire quelque chose, faites-le. Le meilleur moyen de perdre la confiance d'autrui, c'est de manquer à vos engagements.
- **Adoptez une attitude serviable**. On nous a mis sur cette terre, non pas pour être servi, mais pour servir. En leur donnant de votre personne et de votre temps, vous montrez aux gens que vous vous souciez d'eux. Sir Wilfred T. Grenfell, missionnaire et physicien, soutenait que «le service rendu à autrui est en réalité le coût de notre loyer sur terre.» Quelqu'un d'intègre ne prend pas, il donne.
- **Favorisez la participation dans les deux sens à l'intérieur de votre sphère d'influence**. Quand votre vie est un modèle d'intégrité, on vous écoute et on vous suit. N'oubliez jamais que l'influence vise la participation, non la manipulation. Votre succès sera durable seulement si vous faites une place aux autres dans votre vie et votre réussite.

On a dit qu'on ne connaît pas vraiment quelqu'un tant qu'on n'a pas observé son comportement en présence d'un enfant, lors d'une crevaison, en l'absence de son patron, et quand il croit que personne ne saura jamais ce qu'il fait. Mais quelqu'un d'intègre n'a pas à s'inquiéter de cela. Peu importe le lieu, l'entreprise ou la situation, il respecte toujours ses principes.

## LES RETOMBÉES DE LA CONFIANCE: L'INFLUENCE

Quand vous avez mérité la confiance, on commence à croire en vous, et c'est un des moyens d'influencer les gens. Le président Dwight D. Eisenhower en parlait en ces termes:

Pour être un leader, on doit avoir des gens qui nous suivent. Et pour ce faire, on doit mériter leur confiance. Par conséquent, la qualité suprême du leader est indiscutablement l'intégrité. Sans elle, il n'y a pas de véritable succès, qu'on soit au sein d'une équipe d'entretien de la voie ferrée, sur un terrain de football, dans l'armée ou dans un bureau. Si, au sein d'une équipe, on s'aperçoit que le leader manque d'intégrité, il échouera. Ses actions doivent refléter ce qu'il prône. L'intégrité et la noblesse de l'objectif sont donc de toute première nécessité.

Quand on commence à vous faire confiance, votre degré d'influence augmente. Et c'est là que vous pouvez avoir un impact sur la vie des gens. Mais c'est aussi le moment de vous surveiller, car le pouvoir peut présenter des dangers. Dans la plupart des cas, ceux qui veulent du pouvoir ne devraient pas en avoir, ceux qui en jouissent l'apprécient probablement pour les mauvaises raisons, et ceux qui s'y cramponnent ne comprennent pas qu'il est seulement provisoire. Comme le disait Abraham Lincoln: «Presque tout le monde peut faire face à l'adversité, mais pour tester le caractère d'un homme, donnez-lui du pouvoir.»

Dans le monde d'aujourd'hui, peu de gens ont autant de pouvoir et d'influence que le président des États-Unis. George Bush, le 41e président de la nation, avait de fortes convictions au sujet du pouvoir et donnait le conseil suivant: «Servez-vous du pouvoir pour aider les gens. Parce qu'il nous est donné, non pas pour arriver à nos propres fins, ni pour donner un grand spectacle au monde entier, ni pour nous faire un nom. La seule et unique justification du pouvoir est de servir le peuple.» Pour réfréner votre ambition et canaliser votre influence afin de la mettre au service d'autrui, posez-vous régulièrement cette question: si le monde entier me suivait, la terre serait-elle un meilleur endroit où vivre?

## DEVENEZ QUELQU'UN D'INTÈGRE

En définitive, vous pouvez agir en respectant vos principes ou changer vos principes pour qu'ils correspondent à vos actions. Vous devez choisir. Pour devenir influent, il vaut mieux choisir la voie de l'intégrité car toutes les autres finissent par mener à la ruine.

Vous devez retourner aux principes fondamentaux. Vous risquez d'avoir des choix difficiles à faire, mais ils en valent la peine.

### *Engagez-vous à être honnête, fiable et digne de confiance*

L'intégrité commence par une décision précise et consciente. Si vous attendez une crise pour régler vos problèmes d'intégrité, vous vous condamnez à l'échec. Choisissez dès maintenant de vivre selon un code moral strict et décidez de toujours y adhérer.

### *Décidez d'avance que vous n'êtes pas à vendre*

Le président George Washington s'était aperçu que «peu d'hommes ont la qualité de résister au plus offrant». Certains peuvent se faire acheter faute d'avoir réglé la question de l'argent avant d'être exposés à la tentation. La meilleure façon de vous prémunir contre une faille, c'est de décider dès maintenant que jamais votre intégrité ne sera à vendre: ni pour obtenir le pouvoir, ni par esprit de vengeance, ni pour satisfaire votre ambition, ni pour une somme d'argent quelle qu'elle soit.

### *Accordez de l'importance aux petits riens*

Les petits riens nous font ou nous défont. Ne franchissez jamais les limites que vous imposent vos valeurs, ne serait-ce que d'un millimètre. L'honnêteté est une habitude qui s'enracine en agissant toujours conformément au bien, jour après jour, semaine après semaine, année après année. Si vous agissez toujours comme il faut dans les petits riens, vous risquez moins de vous égarer sur le plan de la morale ou de l'éthique.

### *Chaque jour, faites ce que vous devriez faire avant ce que vous avez envie de faire*

L'intégrité repose en grande partie sur la capacité d'assumer ses responsabilités. Selon notre ami Zig Ziglar: «Si vous faites ce que vous avez à faire au moment où vous devez le faire, le jour viendra où vous pourrez faire ce que vous avez envie de faire au moment où vous aurez envie de le faire.» Le psychologue et philosophe William James a exprimé la même idée avec plus de force: «Chaque jour, on devrait tous faire au moins deux choses qu'on déteste, en guise de pratique.»

Le philosophe et écrivain suisse, Henri Frédéric Amiel, soutenait: «Sans vie intérieure, l'homme est esclave de ce qui l'entoure.» *Esclave* est le terme juste pour décrire celui qui manque d'intégrité car il se retrouve souvent à la merci de désirs changeants, les siens ou ceux d'autrui. Mais l'intégrité permet d'accéder à la liberté. Non seulement on risque moins l'esclavage du stress causé par les mauvais choix, les dettes, les désillusions et les autres problèmes créés par les traits de caractère négatifs, mais on est libre d'influencer les gens et de les valoriser de façon incroyable. Et votre intégrité vous permet de connaître un succès durable.

Il est pratiquement impossible de surestimer l'impact de l'intégrité sur la vie des gens. Vous vous souvenez probablement de l'alerte au Tylenol, il y a quelques années. Plusieurs personnes sont mortes empoisonnées, et les enquêteurs ont découvert que c'était attribuable à des capsules de Tylenol contaminées. Don Meyer, l'ami de John, lui a fait parvenir le commentaire suivant à propos de cet incident:

> «Quelques années auparavant, dans l'énoncé de mission de Johnson et Johnson, on pouvait lire: "Agir avec honnêteté et intégrité". Quelques semaines avant l'incident du Tylenol, le président de la société avait envoyé une note aux présidents de toutes ses filiales pour vérifier s'ils se conformaient à l'énoncé de mission et s'ils y croyaient. Tous avaient répondu par l'affirmative.
>
> «Il paraît que moins d'une heure après la crise du Tylenol, le président de la société a ordonné de retirer toutes les capsules des rayons, tout en sachant que la décision allait coûter 100 millions de dollars.
>
> «Quand les journalistes lui ont demandé comment il avait pu prendre une décision d'une telle importance aussi facilement et aussi rapidement, il a répondu: "J'ai mis en œuvre ce sur quoi nous nous étions mis d'accord dans notre énoncé de mission."»

À la fin du commentaire, Don Meyer avait ajouté cette note: «John, c'est toujours facile de bien agir quand on connaît d'avance ses valeurs.»

Ce qui est vrai pour Johnson et Johnson l'est également pour nous tous. Quand vous connaissez vos convictions et que vous agissez en conséquence, les gens peuvent vous faire confiance. Vous êtes un modèle de caractère, de sens moral, et de constance qu'ils admirent et veulent imiter. Vous avez mis en place des fondations solides qui vous permettront d'avoir une influence positive sur leur existence.

## Liste de contrôle de votre influence
## ÊTRE UN MODÈLE D'INTÉGRITÉ

- ❑ **Engagez-vous à développer votre force de caractère**. Par le passé, vous êtes-vous habitué à vous tenir entièrement responsable de votre caractère? C'est essentiel pour devenir influent. Oubliez vos expériences négatives passées, y compris les circonstances pénibles et les gens qui vous ont blessé. Oubliez votre statut ou la réputation que vous vous êtes bâtie au fil des ans. Détachez-vous de tout cela et regardez ce qu'il vous reste. Si vous n'y trouvez pas une solide intégrité personnelle, prenez la résolution de changer dès aujourd'hui.

  Lisez la déclaration suivante, puis apposez-y votre signature:

  *Je m'engage à devenir une personne de qualité. La vérité, la fiabilité, l'honnêteté et la confidentialité seront les piliers de mon existence. Je traiterai les gens comme je m'attends à être traité. Je vivrai en respectant les plus hauts critères de l'intégrité, envers et contre tout.*

  Signature ____________________ Date: ______________

- ❑ **Veillez aux petits riens**. Durant la semaine à venir, examinez soigneusement vos traits de caractère. Notez chaque fois que vous faites une des choses suivantes:
  - Je n'ai pas dit toute la vérité.
  - Je n'ai pas tenu mon engagement (qu'il s'agisse d'une promesse ou d'un engagement tacite).
  - J'ai laissé une tâche inachevée.
  - J'ai parlé de quelque chose que je devais garder confidentiel.

- ❑ **Faites ce que vous** *devriez* faire avant ce que vous *avez envie* de faire. Pendant la semaine à venir, trouvez sur votre liste quotidienne deux tâches que vous auriez dû faire mais que vous avez remises à plus tard. Acquittez-vous de ces tâches avant de passer à quoi que ce soit de plaisant sur votre liste.

Chapitre 2

## *Une personne d'influence*

# PREND SOIN DES AUTRES

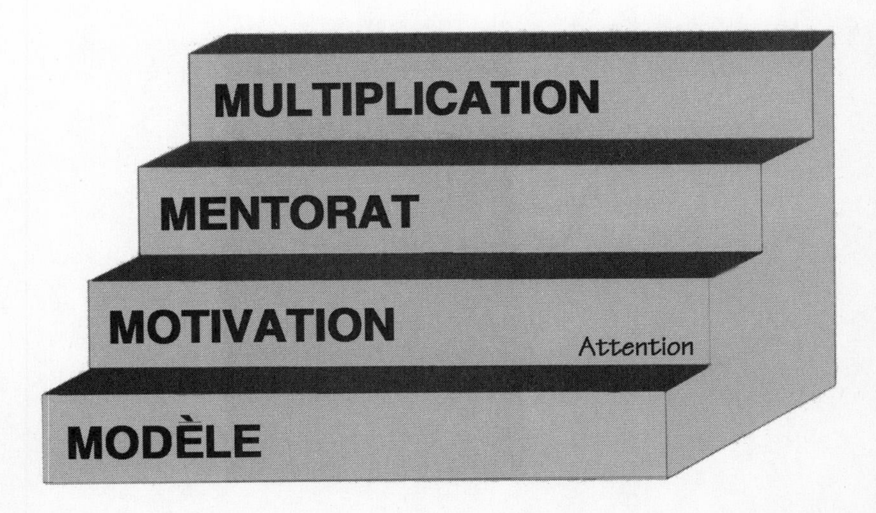

Il y a plusieurs années, Nancy et moi avions décidé d'aider Eric à acquérir une peu plus d'autonomie. En général, il se débrouille bien. En fait, il participe à un grand nombre d'activités qui échappent à beaucoup d'enfants qui ne sont pas en fauteuil roulant. Mais nous avions pensé qu'il apprécierait franchir une étape de plus dans son développement personnel, nous nous sommes donc tournés vers un organisme dont nous avions entendu parler: le Canine Companions For Independence (CCI). Cet organisme se charge de procurer à des handicapés des chiens spécialement entraînés pour convenir à leurs besoins.

Le CCI existe depuis une vingtaine d'années et possède des établissements aux quatre coins du pays, y compris à Oceanside, en Californie. C'est assez près de San Diego, alors nous nous sommes tous entassés dans la voiture un samedi matin pour aller sur la côte voir ce qu'il en était.

Eric était très excité quand nous sommes arrivés là-bas et que nous avons visité le centre de formation. Nous avons rencontré quelques membres du personnel et vu beaucoup de chiens magnifiques. On nous a appris que ces animaux passent la première année de leur vie chez des bénévoles qui les dressent et leur apprennent les rudiments de l'obéissance et de la socialisation.

Puis ils vivent huit mois dans un centre du CCI où le personnel les soumet à un dressage spécial. On les entraîne à devenir des compagnons de travail capables d'aider des personnes atteintes de toutes sortes de handicaps, sauf de cécité. Ils apprennent à ouvrir la porte, à porter des objets, et ainsi de suite. Certains sont dressés pour aider les malentendants et apprennent à prévenir leur propriétaire si la sonnette ou le téléphone sonne, si le bébé pleure, si le détecteur de fumée se déclenche, et d'autres incidents du même genre. Aussitôt l'entraînement terminé, on attribue un nouveau maître au chien et ils participent tous deux à une sorte de «camp d'entraînement» pour apprendre à travailler ensemble.

Eric était emballé à l'idée d'avoir un chien et nous en avons demandé un qui satisferait ses besoins. Pendant les quelques semaines suivantes, nous avons attendu. Il ne s'est pas écoulé un seul jour sans qu'Eric ne nous en parle. Puis, un bel après-midi, nous avons finalement reçu un appel du CCI: on avait trouvé un chien pour Eric. Le lendemain matin, nous repartions pour Oceanside.

Eric a instantanément eu le coup de foudre pour Sable. C'était une retriever dorée pleine de vie. Cette chienne d'arrêt était âgée d'un peu plus d'un an et demi. Eric et Sable ont tous deux participé au camp d'entraînement et appris à travailler ensemble. Sable pouvait ouvrir et fermer les lumières pour lui, l'accompagner au magasin en portant l'argent, rapporter les courses, et une foule d'autres choses.

Vers la fin du camp, un des dresseurs s'est assis auprès de notre fils pour discuter avec lui. «Eric», lui a-t-il dit, «peu importe ce que tu fais ou ne fais pas avec Sable, il faut que tu t'assures d'une seule chose: c'est toi qui dois la nourrir. C'est très important. C'est le seul moyen d'être certain qu'elle s'attache à toi et qu'elle te considère comme son maître.»

Eric n'a eu aucune difficulté à donner de l'amour et de l'affection à sa chienne. Il aimait la câliner et la toiletter, mais il lui était plus difficile d'apprendre à assumer ses responsabilités. C'est un garçon plutôt docile. Et, avec le temps, il a appris à la nourrir et c'est finalement devenu sa tâche quotidienne préférée.

Nourrir un chien est le meilleur moyen d'établir une relation avec lui. Non seulement, vous lui procurez ce dont il a besoin pour vivre et être fort, mais vous lui apprenez aussi à vous faire confiance et à vous suivre. Et dans la plupart des cas, le soin que vous lui accordez en le nourrissant vous est remis en loyauté, obéissance et affection.

## LA NATURE DE L'ATTENTION

D'une certaine façon, les gens réagissent de la même manière que les animaux. Et, tout comme les bêtes, ils ont besoin qu'on s'occupe d'eux, pas seulement sur le plan matériel, mais aussi au niveau affectif. Si vous regardez autour de vous, vous découvrirez des gens qui ont soif d'encouragement, de reconnaissance, de sécurité, et d'espoir. C'est ce qu'on appelle l'attention et cela correspond à un besoin inscrit dans la nature humaine.

Pour pouvoir influencer la vie des gens, commencez par prendre soin d'eux. Beaucoup croient à tort que le meilleur moyen d'arriver à influencer les autres, c'est de faire figure d'autorité: corriger leurs erreurs, révéler les faiblesses qu'ils ne peuvent pas facilement voir eux-mêmes et les critiquer de manière soi-disant constructives. Mais les paroles de l'ecclésiastique John Knox sont encore vraies quatre siècles plus tard: «On ne peut pas s'opposer à quelqu'un et l'influencer en même temps.»

Prendre soin des autres, c'est avant tout leur accorder une attention véritable. Quand vous entendez l'expression *prendre soin*, à quoi pensez-vous d'abord? Si vous êtes comme la plupart des gens, vous imaginez une mère avec un bébé dans les bras. Elle en prend soin, elle le protège, le nourrit, l'encourage et s'assure que tous ses besoins sont satisfaits. Elle ne lui accorde pas son attention seulement à ses moments perdus ou quand cela l'arrange. Elle l'aime et veut qu'il s'épanouisse. De la même façon, quand vous tentez d'aider et d'influencer ceux qui vous entourent, vous devez nourrir des sentiments positifs à leur égard et leur accorder de l'attention. Pour avoir une influence positive sur eux, il ne faut pas ressentir d'aversion envers eux, ni les mépriser ou les dénigrer. Vous leur devez amour et respect. Comme l'a exprimé le spécialiste en relations humaines, Les Giblin: «Nul ne peut se sentir important en votre présence si vous pensez en secret qu'il est un bon à rien.»

***Si vous prenez soin des autres, mais les laissez devenir dépendants de vous, vous leur causez vraiment du tort, vous ne les aidez pas.***

Vous vous demandez peut-être pourquoi il faut jouer un rôle de soutien auprès des gens que vous désirez influencer, en particulier si ce sont des employés, des collègues ou des amis, et non des membres de votre famille. Vous pensez sans doute qu'ils peuvent trouver un tel soutien ailleurs, chez eux par exemple. C'est regrettable, mais en vérité, la plupart des gens sont avides d'encouragements. Et même si quelques personnes autour d'eux se chargent de les encourager, vous devez encore assumer ce rôle de soutien car les personnes qui les influencent le plus sont celles qui leur font éprouver une meilleure estime de soi. Si vous devenez un élément de soutien important dans leur vie, vous aurez alors l'occasion d'exercer une grande influence sur leur existence.

Vérifiez et revérifiez les raisons qui vous amènent à aider et encourager les autres. Ne faites pas comme la petite Emily. Son père, Guy Belleranti, ramenait la famille en voiture après le service du dimanche quand la petite fille, alors âgée de cinq ans, a déclaré: «Quand je serai grande, je veux être en avant comme le monsieur.

– Tu veux devenir ministre du culte?» lui demanda sa mère.

– Non», répondit Emily, «je veux dire quoi faire à tout le monde.»

Vous recherchez l'épanouissement et l'indépendance des gens. Si vous prenez soin d'eux, mais les laissez devenir dépendants de vous, vous leur causez vraiment du tort, vous ne les aidez pas. Et si vous les aidez pour satisfaire vos propres besoins ou panser vos blessures passées, votre relation avec eux pourra devenir une relation de codépendance. Il est malsain de tenter de corriger son histoire personnelle en la faisant revivre aux autres par procuration. Soit dit en passant, les personnes codépendantes ne réussissent jamais à exercer une influence positive dans la vie des autres.

## POUR SOUTENIR ET INFLUENCER AUTRUI, IL FAUT DONNER

Vous avez maintenant une meilleure idée de ce que nous entendons par prendre soin d'autrui. Vous êtes probablement prêt à apprendre comment y parvenir avec votre entourage, c'est-à-dire vos employés, les membres de votre famille, vos amis, vos collègues, et ceux qui œuvrent avec vous au sein de la paroisse. Pour les soutenir, il vous faut penser uniquement à *donner* et non à *prendre*. Commencez par leur donner:

### *L'amour*

Avant de pouvoir faire quoi que ce soit dans la vie des gens, vous devez leur montrer votre amour. Sinon, vous ne pourrez bâtir ensemble ni lien, ni avenir, ni réussite. Cherchez dans votre passé quelques personnes clés qui ont eu un impact sur votre vie: un enseignant extraordinaire, un patron fantastique, une tante ou un oncle spécial. Quand vous passiez du temps en leur compagnie, vous pouviez à coup sûr sentir qu'ils s'intéressaient à vous. Et en retour, vos réactions à leur égard étaient positives.

Nous avons découvert un exemple pour illustrer combien l'amour peut faire une grande différence dans la vie des étudiants. Un enseignant attentionné a écrit ce qui suit:

> «J'ai éprouvé un sentiment de grand soulagement quand j'ai commencé à comprendre que les besoins des jeunes allaient au-delà du contenu des cours. Je connais les mathématiques et je les enseigne fort bien. Avant, je pensais que c'était suffisant. Maintenant, j'enseigne à des enfants, je n'enseigne plus les mathématiques. J'accepte une réussite partielle avec certains. Maintenant que je n'ai plus besoin de connaître toutes les réponses, elles semblent me venir plus facilement qu'à l'époque où j'essayais d'être un spécialiste. Le jeune qui m'a vraiment permis de comprendre cela, c'est Eddie. Un jour, je lui ai demandé pourquoi, selon lui, il réussissait beaucoup mieux que l'année précédente. Il a donné un sens à ma toute nouvelle orientation en me répondant: «C'est parce que, maintenant, je m'aime quand je suis avec vous.»[1]

---

***Sans amour, vous ne pourrez bâtir ensemble ni lien, ni avenir, ni réussite.***

---

1. Everett Shostrom, *Les manipulateurs: les déjouer sans les imiter*, Le Jour, 1993.

L'étendue et le degré de notre influence sont directement reliés à la profondeur de notre intérêt pour les gens. Rien ne peut se substituer à l'amour pour les aider à s'épanouir et à se sentir bien. Même un dur comme Vince Lombardi, le légendaire entraîneur des Packers de Green Bay, a compris que l'amour avait le pouvoir d'amener les gens à faire de leur mieux et qu'il avait un impact sur leur vie. «Nombreux sont les entraîneurs», expliquait-il, «dont les joueurs connaissent l'essentiel du jeu et font preuve de discipline, sans pour autant gagner les matchs. C'est parce qu'il faut un troisième ingrédient: pour jouer ensemble comme équipe, il faut s'intéresser les uns aux autres. Il faut s'*aimer* les uns les autres. Chaque joueur doit penser au gars qui se trouve à ses côtés.»

Vous pouvez jouer un rôle positif dans la vie des gens en leur offrant votre soutien. Peu importe votre profession et l'envergure de la réussite de ceux qui vous entourent, ou leurs réalisations passées. On a tous besoin de se sentir valorisé. Même celui qui a déjà été le leader du monde libre a besoin d'amour. Dans son livre, *Dans l'arène*, l'ex-président Richard Nixon décrit sa dépression après sa démission de la Maison-Blanche, puis son opération. À un moment donné, pendant son séjour à l'hôpital, il a dit à sa femme Pat qu'il voulait mourir.

Pendant qu'il était au plus bas de son existence, une infirmière de l'hôpital est entrée dans sa chambre, elle a ouvert les rideaux et elle a pointé du doigt un petit avion en train d'effectuer un mouvement de va-et-vient, d'avance et de recul dans le ciel. Il traînait une banderole où était écrit: DIEU VOUS AIME, ET NOUS AUSSI. Ruth Graham, la femme de l'évangéliste Billy Graham, s'était arrangée pour que l'avion passe près de l'hôpital. C'est à ce moment-là que Richard Nixon a connu un tournant dans sa vie. Ce message d'amour lui a donné le courage et l'envie de continuer à vivre et de recouvrer la santé.

Prenez le temps de montrer à vos proches que vous les aimez et que vous les appréciez. Dites-leur combien ils comptent pour vous. Écrivez-leur des petits mots pour exprimer l'intérêt que vous leur portez. Donnez-leur une tape dans le dos et serrez-les dans vos bras quand c'est approprié. Ne présumez jamais que les gens connaissent vos sentiments à leur égard. Manifestez-leur. On ne dit jamais trop souvent à quelqu'un qu'on l'aime.

### *Le respect*

Nous avons lu une anecdote à propos d'une femme qui venait d'emménager dans une petite ville. Quelques jours plus tard, elle s'est plainte du magasin du coin auprès de sa voisine car elle trouvait que le service laissait à désirer. Elle espérait que sa nouvelle connaissance répéterait ses critiques au propriétaire du commerce en question.

Quand la nouvelle arrivante est retournée au magasin, le commerçant l'a accueillie avec un large sourire en lui disant qu'il était content de la revoir et espérait qu'elle se plairait dans sa ville. Il lui a même expliqué que son mari et elle pouvaient faire appel à lui s'ils avaient besoin de quelque chose une fois installés. Puis, il s'est rapidement et efficacement occupé de sa commande.

Plus tard, la femme racontait l'incroyable changement à son amie en concluant: «Je suppose que vous lui avez dit combien son service était mauvais?

– Eh bien non», lui répondit sa voisine. «En fait, j'espère que vous ne m'en voudrez pas, mais je lui ai dit combien vous étiez surprise qu'il ait pu réussir à monter un tel commerce dans une aussi petite ville et, qu'à votre connaissance, c'était un des magasins les mieux dirigés.»[1]

Cette voisine avait compris que les gens réagissent bien quand on les respecte. En fait, la plupart des gens seront prêts à faire n'importe quoi ou presque pour vous si vous les traitez avec respect. Et cela veut dire leur faire comprendre clairement que leurs sentiments sont importants, leurs préférences respectées et leurs opinions précieuses. Cela signifie leur

---

1. *Bits and Pieces*.

accorder le bénéfice du doute. Comme l'a exprimé le philosophe et poète Ralph Waldo Emerson: «Tout homme est en droit d'être valorisé par ce qu'il est dans ses meilleurs moments.»

Là où l'amour est centré sur le don à autrui, le respect indique une disposition à recevoir en retour. Respecter, c'est reconnaître que les gens peuvent apporter une contribution avec leur talent ou leur potentiel. Les écouter et leur donner la priorité sur vos occupations témoigne de votre respect pour eux, et c'est porteur d'un potentiel de réussite accru pour les deux parties. Les dirigeants comprennent le pouvoir du respect. C'est ce que révèle une étude récente de Teleometrics International, paru dans le *Wall Street Journal* et portant sur 16 000 cadres. Les chercheurs ont centré cette étude sur un groupe particulièrement efficace. Tous les membres de ce groupe avaient une attitude positive face à leurs subordonnés, ils prêtaient souvent une oreille attentive à leurs préoccupations et les traitaient avec respect.

### *Le sentiment de sécurité*

Il importe également de donner un sentiment de sécurité aux gens dont on s'occupe. Ils hésitent à vous faire confiance et à réaliser leur potentiel quand ils se demandent avec inquiétude s'ils sont en sécurité avec vous. Mais quand ils se sentent en sécurité, ils sont à même de réagir de façon positive et de donner le meilleur d'eux-mêmes. Virginia Arcastle notait: «Une fois que les gens se sentent importants, appréciés et en sécurité, ils finissent rapidement par ne plus éprouver le besoin de rabaisser les autres pour avoir l'impression de leur être supérieurs.»

Donner un sentiment de sécurité aux autres dépend en partie de votre intégrité, un sujet que nous avons traité dans le chapitre précédent. On se sent en sécurité avec vous quand vos actions sont en accord avec vos paroles et conformes à un code moral élevé qui inclut le respect. L'ex-entraîneur chef de l'équipe de football de Notre-Dame, Lou Holtz, disait à ce propos: «Faites ce qui est juste! Faites de votre mieux et traitez les autres comme vous aimeriez qu'on vous traite parce qu'on se posera trois questions à votre sujet: (1) Puis-je avoir confiance en lui? (2) Est-il engagé envers l'équipe? (3) Est-ce qu'il s'intéresse à moi en tant que personne?»

On veut se sentir en sécurité non seulement avec vous, mais aussi avec tout votre entourage. Les bons leaders en sont conscients et créent un milieu favorable à l'épanouissement. Mike Krzyzewkski, le talentueux entraîneur chef de l'équipe de basket de l'université Duke, comprend l'impact qu'un leader peut produire quand il donne un sentiment de sécurité à ceux qui le suivent: «Si vous établissez un climat de confiance et de communication, il se perpétuera. Les plus anciens membres de l'équipe confirmeront votre crédibilité auprès des nouveaux. Même s'ils n'aiment pas tout en vous, ils diront néanmoins: «Il est digne de confiance, il est engagé envers l'équipe».»

Tant que les gens n'auront pas totalement confiance en vous, vous ne pourrez pas avoir une influence positive sur eux et un impact sur leur existence.

## La reconnaissance

Une erreur trop fréquente, en particulier chez les leaders actuels, c'est d'oublier de partager le mérite avec les autres et de leur montrer qu'ils sont appréciés. Par exemple, dans une analyse portant sur des travailleurs des États-Unis, J.C. Staehle a découvert que la première cause d'insatisfaction était que leurs supérieurs ne reconnaissaient pas leur mérite. Les gens ont du mal à suivre quelqu'un qui ne les apprécie pas pour ce qu'ils sont et ce qu'ils font. Selon Robert McNamara, ex-secrétaire d'État à la Défense et président de la Banque Mondiale: «Les cerveaux sont comme les cœurs, ils vont là où ils se sentent appréciés.»

La reconnaissance est appréciée de tous, pas seulement dans le monde des affaires et de l'industrie. Même un soupçon de reconnaissance peut extrêmement marquer la vie de quelqu'un et pour longtemps. Nous avons lu récemment une histoire écrite par Helen P. Mrosla, une religieuse enseignante. Elle raconte l'expérience que lui a permis de vivre Mark Eklund, un élève qu'elle avait eu en mathématiques en troisième année de cours primaire, puis à la fin du secondaire:

> «Un vendredi [en salle de classe], tout semblait simplement aller de travers. Nous avions travaillé fort sur un nouveau concept toute la semaine. Je sentais que les élèves n'étaient pas contents d'eux et se supportaient difficilement entre eux. Je devais arrêter cette mauvaise humeur croissante avant qu'elle ne devienne incontrôlable. Je leur ai donc demandé de prendre deux feuilles de papier et de dresser la liste des autres élèves présents dans la classe, en laissant de la place entre chaque nom. Puis, je leur ai suggéré de réfléchir aux plus gentils compliments qu'ils pourraient faire à chacun de leurs compagnons de classe et de les noter.
>
> «Il leur a fallu tout le reste du temps pour faire l'exercice, mais à la sortie, chacun d'eux m'a tendu ses feuilles...
>
> «Le lendemain, j'ai écrit le nom de chaque élève sur une feuille séparée et reporté tout ce que les autres avaient écrit à son sujet. Le lundi, j'ai remis la liste obtenue à chacun d'eux. Certaines listes faisaient deux pages. Peu de temps après, toute la classe avait le sourire. J'ai entendu murmurer des choses comme: «Vraiment? Je n'aurais jamais pensé que cela signifiait quelque chose pour les autres!» ou «Je ne savais pas que les autres m'aimaient autant!»
>
> «Personne n'a jamais plus mentionné ces listes en classe. Je n'ai jamais su si les élèves en avaient discuté entre eux après le cours ou s'ils en avaient parlé à leurs parents, mais cela importait peu. L'exercice avait atteint son objectif. Les élèves avaient à nouveau une bonne opinion d'eux-mêmes et des autres.
>
> «Puis, les années ont passé et les élèves ont continué leur chemin. Quelque temps après, à un de mes retours de vacances, mes parents sont venus me chercher à l'aéroport et, pendant que nous rentrions en voiture à la maison, ma mère m'a posé les questions habituelles. Est-ce que j'avais eu du beau temps? Mes vacances s'étaient-elles bien passées? Puis, il y eut une légère pause dans la conversation. Ma mère a jeté un coup d'œil de côté à mon père en lui disant simplement: «Papa?» Mon père s'est éclairci la voix avant de commencer: «Les Eklund ont téléphoné hier soir.»
>
> – Vraiment? Ça fait longtemps que je n'ai pas entendu parler d'eux. Je me demande comment va Mark.»

«Mon père m'a répondu doucement: "Mark a été tué au Viêt-nam. Ses funérailles ont lieu demain et ses parents aimeraient que tu y assistes." Encore aujourd'hui, je me souviens avec précision du tronçon d'autoroute où mon père m'a parlé de Mark.

«Je n'avais encore jamais vu un militaire dans un cercueil de l'armée... Les amis de Mark remplissaient l'église. La sœur de Chuck (son ancien camarade de classe) a chanté *The Battle Hymn of the Republic*. Pourquoi fallait-il qu'il pleuve ce jour-là? C'était déjà assez pénible autour de la tombe. Le pasteur a prononcé les prières habituelles et le clairon a joué la sonnerie aux morts. Un par un, ceux qui avaient aimé Mark sont passés une dernière fois devant son cercueil et l'ont aspergé d'eau bénite.

«J'étais la dernière à bénir le cercueil. Pendant que j'étais là, un des soldats qui avaient porté le cercueil est venu vers moi et m'a demandé: "Vous étiez son professeur de maths, n'est-ce pas?" J'ai fait un signe de tête affirmatif en continuant de fixer le cercueil. "Mark parlait beaucoup de vous", a-t-il enchaîné.

«Après les funérailles, la plupart de ses anciens camarades de classe sont allés déjeuner à la ferme de Chuck. Son père et sa mère étaient là également et, de toute évidence, ils m'attendaient. "On veut vous montrer quelque chose", m'a dit son père en sortant un portefeuille de sa poche. "Ils ont trouvé ça sur Mark quand il a été tué. On a pensé que vous pourriez reconnaître de quoi il s'agit."

«Il a ouvert le portefeuille et sorti avec précaution deux feuilles usées, manifestement écrites à la machine, dépliées et repliées maintes fois. Je savais, sans avoir besoin de les regarder, que c'était celles où j'avais reporté toutes les bonnes choses que ses camarades de classe avaient dites sur lui. "Merci, merci beaucoup pour avoir fait ça", a dit la mère de Mark. "Comme vous pouvez voir, Mark les gardait comme un trésor précieux."

«Les camarades de classe de Mark ont commencé à se regrouper autour de nous. Chuck a dit en souriant d'un air un peu penaud: "Moi aussi, j'ai encore ma liste. Elle est chez moi, dans le premier tiroir de mon bureau." La femme de John a raconté que celui-ci lui avait demandé de coller sa liste dans leur album de mariage. "Moi aussi, j'ai la mienne", a dit Marilyn, "elle est dans mon journal intime." Puis Vicky, une autre camarade de classe, a sorti son portefeuille de sa poche et montré au groupe sa liste usée à la corde. "Je l'ai toujours sur moi", a-t-elle ajouté sans sourciller. "Je crois que nous avons tous conservé notre liste."

«C'est alors que j'ai fini par m'asseoir et que j'ai pleuré.»[1]

Qu'est-ce qui amène tant d'adultes à s'accrocher à un bout de papier, reçu des années auparavant quand ils étaient enfants. Pourquoi certains emportent-ils ces feuillets partout où ils vont – même au combat dans une rizière à l'autre bout du monde? À cause du sentiment d'être appréciés. On a tous une soif incroyable d'appréciation et de reconnaissance. Quand vous entrez en interaction avec les gens, pas de précipitation. Retenez leur nom et prenez le temps de leur montrer que vous vous intéressez à eux. Dans votre vie, accordez la priorité aux gens, faites-les passer avant toute chose, y compris avant vos propres préoccupations et votre emploi du temps. Et manifestez-leur votre reconnaissance chaque fois que l'occasion se présente. Cela les renforcera et les motivera. Et cela fera de vous quelqu'un qui influencera beaucoup leur existence.

### *L'encouragement*

Dans une expérience menée il y a plusieurs années, on a mesuré l'endurance à la douleur. Les psychologues ont chronométré combien de temps des gens pouvaient rester debout pieds nus dans un seau rempli d'eau glacée. Un seul facteur permettait à certains de tenir deux fois plus longtemps. Avez-vous deviné lequel? Les encouragements. Ceux qui avaient quelqu'un pour les soutenir et les encourager étaient capables de tenir deux fois plus longtemps que ceux qui n'avaient personne.

---

***Quand on se sent encouragé, on peut affronter l'impossible et surmonter les pires adversités.***

---

1. Jack Canfield et Mark Victor Hansen, *Un 1er* bol de bouillon de poulet pour l'âme, Sciences et culture, 1997.

Peu de choses aide autant une personne que l'encouragement. George M. Adams appelle cela «l'oxygène de l'âme». Selon le philosophe et poète allemand, Johann Wolfgang von Gœthe: «La correction apporte beaucoup, mais l'encouragement après la censure est comme le soleil après une averse» Et William A. Ward révèle ses sentiments lorsqu'il écrit: «Flattez-moi, et je risque de ne pas vous croire. Critiquez-moi, et je risque de ne pas vous aimer. Ignorez-moi, et je risque de vous oublier. Encouragez-moi, et jamais je ne vous oublierai.»

L'art d'influencer découle naturellement de l'encouragement. Dans une lettre adressée à John Paul Jones, un commandant de la marine, Benjamin Franklin, écrivait: «Dorénavant, si vous trouvez l'occasion de rendre un peu plus hommage à vos officiers et à vos amis qu'ils ne le méritent et d'admettre un peu plus de tort qu'on peut vous en reprocher, vous deviendrez seulement plus vite grand capitaine.» De toute évidence, John Paul Jones a retenu la leçon. Il devint un héros de la Révolution américaine et obtint par la suite le grade de contre-amiral dans la marine russe.

Tout comme encourager les gens les incite à vous suivre, retenir les éloges et les encouragements produit l'effet contraire. Nous avons lu un compte rendu du Dr Maxwell Maltz qui montre à quel point on peut avoir un impact négatif sur ses proches quand on ne les encourage pas. Le docteur Maltz décrivait une femme venue le voir à son bureau pour lui demander son aide. De toute évidence, son fils avait quitté leur maison du Midwest pour emménager à New York, où le docteur pratiquait. Le mari de cette femme était mort alors que leur fils était encore enfant et elle avait continué de diriger ses affaires, en espérant que son fils prendrait la relève dès qu'il en aurait l'âge. Mais une fois devenu grand, le fils refusa. Il préférait aller étudier à New York. Elle était venue consulter le docteur Maltz pour trouver les raisons d'un tel comportement.

Quelques jours plus tard, le fils rendait visite au docteur en lui disant que sa mère avait insisté pour qu'il vienne.

«J'aime ma mère», expliquait-il, «mais je ne lui ai jamais dit pourquoi j'ai dû quitter la maison. Je n'en ai simplement jamais eu le courage. Et je ne veux pas la rendre malheureuse. Mais, voyez-vous docteur, je ne veux pas continuer ce que mon père a commencé, je veux me débrouiller tout seul.

– C'est fort admirable», lui répondit le docteur Maltz. «Mais que reprochez-vous à votre père.

– Mon père était un homme bon et il travaillait fort, mais je suppose que je lui en voulais. Il s'était donné beaucoup de peine pour réussir et il se croyait obligé d'être dur avec moi. Je pense qu'il voulait me rendre indépendant ou quelque chose du genre. Quand j'étais jeune, il ne m'a jamais encouragé. Je me souviens encore quand nous jouions à la balle ensemble dans la cour. Il lançait la balle et je l'attrapais. Nous avions un jeu pour voir si je pouvais l'attraper dix fois d'affilée. Et, docteur, il ne m'a jamais laissé attraper la dixième balle. Il m'en envoyait huit ou neuf, mais il lançait toujours la dernière en l'air, par terre ou là où il m'était impossible de l'attraper.» Le jeune homme fit une pause avant de continuer: «Il ne m'aurait jamais laissé attraper la dixième balle. Jamais! Et je suppose qu'il m'a fallu quitter la maison et l'entreprise qu'il a lancée parce que je voulais d'une manière ou d'une autre attraper cette dixième balle!»

Le manque d'encouragement peut empêcher quelqu'un de vivre une vie saine et fructueuse. Mais quand on se sent encouragé, on peut affronter l'impossible et surmonter les pires adversités. Et celui qui nous prodigue ses encouragements devient une personne d'influence dans notre vie.

## CE QU'ILS REÇOIVENT

Pour prendre soin des autres, apprenez à vous centrer sur eux. Au lieu de penser à vous, pensez d'abord à eux. Au lieu de les remettre à leur place, essayez de *vous* mettre vous-même à leur place. Ce n'est pas toujours facile. Pour pouvoir se centrer sur les gens et leur donner de sa personne, il faut d'abord se sentir en paix avec soi-même et ce qu'on est. Mais les récompenses sont nombreuses. Quand vous prenez soin des autres, ils reçoivent plusieurs choses:

### *Un sentiment de valeur personnelle*

Nathaniel Branden, un psychiatre spécialisé en matière d'estime de soi, déclare que la façon de se juger soi-même est le facteur le plus déterminant dans le développement psychologique et la motivation. Il affirme que la nature de l'autoévaluation a de profonds effets sur les valeurs, les croyances, la façon de penser, les sentiments, les besoins et les objectifs. Selon lui, l'estime de soi est la clé première du comportement.

Une piètre conception de soi peut avoir toutes sortes d'effets négatifs sur notre vie. Le poète T.S. Eliot soutenait: «La moitié du mal fait ici-bas est attribuable à des gens qui veulent se sentir importants... Ils n'ont pas l'intention de mal faire... Ils sont absorbés par la lutte incessante qu'ils mènent pour avoir une bonne opinion d'eux-mêmes.» Une piètre valeur personnelle crée une barrière invisible qui empêche de franchir les limites qu'on s'impose soi-même.

Si vous êtes sûr de vous et que vous avez une saine image de soi, vous pourriez alors penser: «Hé, je veux bien essayer d'améliorer l'image de soi d'un enfant, mais mes employés et mes collègues peuvent s'occuper de leur propre cas. Ce sont des adultes. Ils doivent surmonter ça.» En réalité, la plupart des gens, qu'ils aient 7 ou 57 ans, pourraient avoir besoin d'aide pour se sentir à l'aise avec leur image de soi. Ils aimeraient qu'on renforce leur sens d'identité. Si vous en doutez, livrez-vous à la petite expérience suivante. Demandez à quelques-unes de vos connaissances de noter toutes leurs forces sur une feuille de papier. En général, elles en écrivent environ une demi-douzaine. Demandez-leur ensuite de noter toutes leurs faiblesses. En général, la liste des faiblesses est au moins deux fois plus longue!

L'écrivain et critique du XVIIIe siècle, Samuel Johnson, parlait en ces termes: «La confiance en soi est ce qu'il y a de plus fondamental pour mener à bien de grandes entreprises.»

L'estime de soi a un impact sur tous les aspects de la vie: l'emploi, l'éducation, les relations, et ainsi de suite. Par exemple, le National Institute for Student Motivation a mené une étude démontrant que l'estime de soi a plus d'impact sur la réussite scolaire que le quotient intellectuel.

De plus, Martin Seligman, professeur de psychologie à l'université de Pennsylvanie, a découvert que les gens avec une forte estime de soi obtiennent des emplois mieux rétribués et mènent de plus belles carrières que ceux dont l'estime de soi est faible. Dans une étude sur les agents d'une grande compagnie d'assurance vie, il s'est aperçu que ceux qui s'attendaient à réussir vendaient 37% plus de contrats que les autres.

Si vous voulez aider les gens à améliorer leur qualité de vie, à devenir plus productifs au travail et à entretenir des relations plus positives, renforcez leur sentiment de valeur personnelle. Aidez-les à avoir une bonne opinion d'eux-mêmes, cela aura des retombées positives sur tous les aspects de leur vie. Et quand ils commenceront à les ressentir, ils vous en seront reconnaissants.

### *Le sentiment d'appartenance*

C'est un des besoins les plus fondamentaux de l'être humain. Quand on se sent isolé, exclu et incapable de communier avec les autres, on souffre. Albert Lalonde a attiré l'attention sur les dangers de cet isolement: «Beaucoup de jeunes d'aujourd'hui n'ont jamais connu d'attachement affectif profond avec qui que ce soit. Ils ne savent pas comment aimer et être aimés. Le besoin d'être aimé se traduit par le besoin d'appartenir à quelqu'un ou à quelque chose. Poussés par leur besoin d'appartenance... ils feront n'importe quoi pour le satisfaire.»

Ceux qui exercent une influence positive comprennent ce besoin d'appartenance et font en sorte que les gens se sentent intégrés. Les parents veillent à ce que leurs enfants aient l'impression de tenir une place importante dans la famille. Les conjoints s'arrangent pour que l'autre se sente un partenaire égal et chéri. Le patron fait savoir à ses employés qu'ils sont précieux pour l'équipe.

Les grands leaders sont particulièrement doués pour donner un sentiment d'appartenance à ceux qui les suivent. Napoléon Bonaparte, par exemple, était maître dans l'art de donner à ses hommes un sentiment d'importance et d'appartenance. On sait qu'il avait l'habitude de parcourir son campement et de saluer chaque officier par son nom. Tout en parlant à chacun, il lui demandait des nouvelles de sa ville, de sa femme, et de sa famille. Le général ajoutait ensuite quelque chose sur une bataille ou une manœuvre à laquelle il savait que l'homme avait participé. L'intérêt et le temps qu'il accordait à ses soldats leur donnaient un sentiment de camaraderie et d'appartenance. Il n'est pas surprenant que ses hommes lui aient été aussi dévoués.

Pour devenir plus apte à prendre soin des gens, cultivez le souci d'autrui. Cherchez des moyens de les intégrer. Soyez comme ce fermier qui avait l'habitude d'atteler chaque jour sa vieille mule à la charrue et lui criait: «Hue Beauregard! Hue Satchel! Hue Robert! Hue Betty Lou! Allez, hue!»

Un jour, son voisin lui demanda: «Combien de noms a votre mule?

– Oh, seulement un», répondit le fermier. «Elle s'appelle Pete. Mais je lui mets des œillères et je crie plusieurs noms, alors elle croit qu'il y a d'autres mules qui travaillent avec elle. Son attitude est meilleure quand elle fait partie d'une équipe.»

### *La vision*

Une autre chose que les gens acquièrent quand on prend soin d'eux, c'est une meilleure vision d'eux-mêmes. Pour la plupart, ils reçoivent plus que leur lot de commentaires négatifs et de critiques – tellement qu'ils commencent parfois à perdre de vue leur valeur personnelle. On trouve un exemple éloquent de ce problème dans *A Touch of Wonder* d'Arthur Gordon. Il raconte l'histoire d'un de ses amis qui était membre d'un cercle à l'université du Wisconsin. Il faisait partie d'un groupe de brillants jeunes hommes aux talents littéraires. À chaque rencontre, l'un d'eux lisait une histoire ou un essai de son cru et le reste du groupe le disséquait et le critiquait. La méchanceté de leurs commentaires leur a donné l'idée de s'appeler le groupe des Assassins.

Sur le même campus, quelques jeunes femmes avaient formé un autre groupe qu'elles avaient appelé les Bûcheuses. Elles se lisaient également leurs manuscrits entre elles mais, au lieu de critiquer, elles essayaient d'offrir des commentaires positifs. Tous les membres étaient encouragés, quel que soit la faiblesse ou le manque d'envergure de leurs écrits.

---

***Ce n'est pas ce qu'ils sont qui empêche la plupart des gens de progresser. C'est ce qu'ils pensent ne pas être.***

---

Le résultat des activités de ces deux groupes est apparu 20 ans plus tard quand on a étudié leurs carrières respectives. De tous les talentueux jeunes hommes du groupe des Assassins, pas un seul n'était devenu un écrivain célèbre. Mais une demi-douzaine d'écrivaines à succès avait émergé du groupe des Bûcheuses, même si elles n'avaient pas nécessairement plus de talent. Certaines avaient acquis la reconnaissance nationale, comme Marjorie Kinnan Rawlings qui a remporté le prix Pulitzer.[1]

Ce n'est pas ce qu'ils sont qui empêche la plupart des gens de progresser. C'est ce qu'ils pensent ne pas être. En mettant en doute leurs qualités littéraires, les Assassins avaient fini par se convaincre qu'ils étaient tous de piètres écrivains. Qui sait quel talent a été étouffé par leur négativisme ? Mais si un des membres du groupe avait pris l'initiative de prendre soin des autres au lieu d'être négatif, peut-être qu'un nouvel

---

1. Arthur Gordon, « The Gift of Caring », dans *A Touch of Wonder*.

Ernest Hemingway, un William Faulkner ou un George Francis Fitzgerald, aurait vu le jour et donné au monde une nouvelle série de chefs-d'œuvre.

On aime tous être choyés, même les grands, qu'ils soient homme ou femme. Une petite exposition de l'Institut Smithsonian en témoigne en nous présentant les effets personnels trouvés sur Abraham Lincoln la nuit où il a été abattu. Elle nous présente un petit mouchoir brodé à son nom, un canif de jeune campagnard, un étui à lunettes réparé avec du fil de coton, un billet de la Confédération de cinq dollars et une coupure de presse usée où on chante les louanges de ses réalisations en tant que président. Voici le début de l'article: «Abe Lincoln est l'un des plus grands hommes d'État de tous les temps...»[1]

Comme nous l'avons mentionné dans le chapitre précédent, Abraham Lincoln a affronté des critiques féroces pendant son mandat et il lui aurait été facile de se laisser complètement décourager. Cet article, usé par les lectures répétées, l'avait sans doute aidé durant les périodes particulièrement difficiles. Il l'avait nourri et aidé à conserver sa vision.

### *Le sentiment d'importance*

Woody Allen a déclaré un jour en plaisantant: «Mon seul regret dans la vie, c'est de ne pas être quelqu'un d'autre.» Et même s'il a probablement dit cela pour faire rire, on ne peut que s'interroger sur la véracité de son propos quand on sait tous les problèmes relationnels qu'il a connus au fil des années. Dans la vie, la valeur que les autres nous accordent est presque identique à celle que nous nous donnons. Les gens qui se respectent beaucoup et qui ont le sentiment d'être significatifs sont en général respectés et amenés à se sentir appréciés par les autres.

---

1. Greg Asimakoupoulos, «Icons Every Pastor Needs», *Leadership, automne 1993, p.109.*

Quand vous prenez soin des gens et les valorisez sans rien attendre en retour, ils se sentent importants. Ils réalisent qu'ils sont estimés et comptent aux yeux des autres. Et une fois qu'ils ont une bonne opinion d'eux-mêmes, ils sont libres de vivre de façon plus positive pour eux-mêmes et pour les autres.

### *L'espoir*

L'écrivain Mark Twain nous mettait en garde en ces termes: «Tenez-vous loin de ceux qui rabaissent vos ambitions. C'est l'habitude des petites gens. Mais ceux qui sont vraiment grands vous donnent le sentiment que vous aussi, vous pouvez devenir grand.» Comment se sent-on quand on est avec vous? Les gens ont-ils l'impression d'être petits et insignifiants ou croient-ils en eux-mêmes et en leur avenir?

La clé dans votre façon de *traiter* les gens se trouve dans votre manière de *penser* à eux. C'est une question d'attitude. Votre comportement reflète ce que vous croyez. Johann Wolfgang von Gœthe y attachait beaucoup d'importance: «Traitez quelqu'un comme il semble être et sa situation empirera; mais traitez-le comme s'il était déjà celui qu'il a le potentiel de devenir, et vous en ferez celui qu'il devrait être.»

L'espoir est sans doute le plus beau cadeau à faire aux gens dont vous prenez soin. Même s'ils ont une piètre image de soi et n'arrivent pas à trouver leur propre importance, ils auront encore une raison de continuer à tenter de réaliser leur potentiel et à consentir les efforts nécessaires.

Dans *Building Your Mate's Self-Esteem*, Dennis Rainey raconte une histoire merveilleuse sur la façon dont l'espoir peut amener l'épanouissement d'un potentiel exceptionnel. Il parle d'un petit garçon appelé Tommy dont la scolarité était particulièrement difficile. Il n'arrêtait pas de poser des questions et ne parvenait pas à bien suivre en classe. Toutes ses tentatives semblaient échouer. L'enseignant a fini par perdre tout espoir en lui et il a expliqué à la mère que Tommy était incapable d'apprendre et ne vaudrait jamais grand-chose. Mais la mère était du genre à prendre soin de son enfant et elle croyait en lui. Elle lui a enseigné à la maison et, à chacun de ses échecs, elle lui donnait de l'espoir et l'encourageait à continuer d'essayer.

Qu'a-t-il bien pu arriver à Tommy? Il est devenu inventeur et il a fini par faire breveter plus d'un millier d'inventions, entre autres celle du phonographe et de la première ampoule électrique commercialisée. Cet enfant s'appelait Thomas Edison.[1] Quand les gens ont de l'espoir, qui sait où cela peut les mener!

## COMMENT DEVENIR QUELQU'UN QUI ENCOURAGE NATURELLEMENT AUTRUI

Il est possible que votre nature ne vous porte pas à prendre soin des autres. Beaucoup de gens trouvent difficiles d'être bons et positifs envers autrui, en particulier s'ils ont grandi dans un milieu vraiment peu épanouissant. Mais on peut tous apprendre à prendre soin des autres et à augmenter leur valeur personnelle. Si vous cultivez une attitude positive du souci d'autrui, vous aussi vous pourrez devenir quelqu'un qui prend naturellement soin des gens et jouir du privilège supplémentaire d'exercer une influence sur leur vie. Voici comment y parvenir:

- **Engagez-vous envers eux**. Engagez-vous à les encourager. Prendre l'engagement d'aider les gens modifie vos priorités et vos actions. L'amour des autres permet de toujours trouver un moyen de les aider; l'indifférence ne donne que des excuses.
- **Croyez en eux**. Les gens réussissent ou échouent pour répondre aux attentes de leurs proches. Accordez-leur votre confiance, donnez-leur de l'espoir, et ils feront tout pour ne pas vous décevoir.

1. Dennis Rainey et Barbara Rainey, *Building Your Mate's Self-Esteem* (Nashville: Thomas Nelson, 1993).

- **Soyez disponible, accueillant**. Il est impossible d'encourager qui que ce soit à distance. On ne peut y parvenir qu'en étant proche. Au début, vous aurez peut-être besoin d'accorder beaucoup de temps aux gens. Mais plus ils auront confiance en eux et en leur relation avec vous, moins les contacts personnels seront nécessaires. Tant qu'ils ne seront pas arrivés à cette étape, assurez-vous de rester disponible.
- **Donnez sans attendre en retour**. Si vous avez besoin des gens, vous ne pouvez pas les mener. Le soutien fait partie du leadership. Au lieu d'essayer d'obtenir quelque chose d'eux, donnez librement sans rien attendre en retour. L'économiste du XIXe siècle, Henry Drummond, observait avec sagesse: «Si vous regardez en arrière, vous vous apercevrez que les moments où vous avez véritablement vécu sont ceux où vous avez fait quelque chose par amour.»
- **Offrez-leur des chances**. À mesure que les gens dont vous prenez soin vont de mieux en mieux, offrez-leur plus d'occasions de réussir et de s'épanouir. Vous continuerez à vous occuper d'eux mais, avec le temps, leurs actions et leurs succès les aideront à toujours se sentir en sécurité, respectés et encouragés.
- **Amenez-les à un niveau plus élevé**. Votre but ultime devrait toujours être d'aider les gens à atteindre un niveau plus élevé, à se réaliser pleinement. Prendre soin d'eux, c'est poser les fondations sur lesquelles ils pourront commencer à bâtir.

Walt Disney aurait dit, paraît-il, qu'il existe trois genres de personnes dans le monde. En premier, les vrais empoisonneurs qui découragent les autres, piétinent leur créativité et leur disent ce qu'ils ne peuvent pas faire. En deuxième, les individualistes. Ils sont bien intentionnés, mais ne pensent qu'à eux. Ils s'occupent de leurs propres intérêts sans jamais aider les autres. Et pour finir, les «enjoliveurs» de vie. Ils interviennent pour enrichir la vie des autres, ils les amènent à un niveau plus élevé et les inspirent. Chacun de nous doit faire tout son possible pour devenir un «enjoliveur» de vie, pour prendre soin des autres afin de les motiver dans leur évolution et leur réalisation de soi. Un tel processus exige du temps. (Au cours des chapitres à venir, nous vous montrerons comment aider les gens à aller plus loin dans ce processus).

Une des histoires les plus stimulantes que nous ayons entendues à propos de l'encouragement et de l'attention concerne John Wesley – un personnage influent que nous avons mentionné dans l'introduction. En 1791, John Wesley adressait une lettre à William Wilberforce, un parlementaire anglais au centre de la lutte pour l'abolition de la traite des esclaves dans l'Empire britannique. La lettre, devenue célèbre depuis, se lisait comme suit:

*Londres, le 26 février 1791*

*Cher monsieur,*

*«À moins que la puissance divine ne vous ait façonné... je ne vois pas comment vous pouvez mener à bien votre glorieuse entreprise en vous opposant à cette infâme bassesse de l'Angleterre, qui est un scandale pour la religion et la nature humaine. À moins que Dieu ne vous ait préparé à cette mission bien précise, vous serez usé par l'opposition des hommes et des démons. Mais "si Dieu est avec vous, qui peut être contre vous?" Sont-ils tous plus forts que Dieu? Oh, "ne vous épuisez pas en faisant le bien". Continuez, au nom de Dieu et avec l'aide de Sa puissance, jusqu'à ce que même l'esclavage américain (la plus grande infamie qu'ait jamais vue le soleil) disparaisse devant Sa puissance...*

*«Que Celui qui vous a guidé depuis votre jeunesse continue de vous donner des forces pour mener à bien cela et d'autres choses encore, telle est ma prière.»*

*Votre affectueux serviteur*
*John Wesley*

John Wesley est mort quatre jours plus tard, à l'âge de 88 ans, mais son influence a continué de marquer la vie de

William Wilberforce pendant des années. Celui-ci n'a pas réussi à convaincre le Parlement d'abolir l'esclavage à cette époque, mais il n'a pas renoncé au combat. Il l'a poursuivi pendant des décennies en dépit des calomnies, des diffamations et des menaces. Et quand il se sentait sur le point d'abandonner, il puisait son courage dans la lettre de John Wesley. Finalement, en 1807, la traite des esclaves fut abolie. Et en 1833, quelques mois après la mort de William Wilberforce, l'esclavage était interdit dans tout l'Empire britannique.

Malgré ses nombreux opposants tout au long de sa carrière, William Wilberforce fut enterré à l'abbaye de Westminster avec tous les honneurs. Il était un des hommes les plus estimés de son époque. Voici un extrait de son épitaphe:

*«Éminent comme il l'était dans tous les domaines d'intérêt public,*
*Et personnage influent dans toutes les œuvres charitables,*
*Que ce soit pour soulager les besoins temporels*
*ou spirituels des hommes,*
*Son nom restera à jamais associé*
*À ces efforts*
*Qui ont permis, avec la bénédiction de Dieu, de libérer l'Angleterre*
*De sa culpabilité dans la traite des esclaves africains.*
*Et de préparer le chemin de l'abolition de l'esclavage dans toutes les colonies de l'Empire.»*

Vous avez peut-être un William Wilberforce dans votre vie, attendant simplement que vous lui apportiez votre soutien pour atteindre la grandeur. Le seul moyen de le savoir, c'est de prendre soin des autres en vous préoccupant des gens que vous rencontrez et en les valorisant.

Liste de contrôle de votre influence
**PRENDRE SOIN DES AUTRES**

- ❑ «**Entretenez un climat d'attention et de développement dans votre foyer, votre lieu de travail ou votre paroisse**. Donnez-vous pour objectif que votre entourage se sente aimé, respecté et en sécurité. Pour y parvenir, engagez-vous à ne faire aucune critique négative aux gens et à chercher seulement ce que vous pouvez leur dire de positif.
- ❑ **Ciblez vos encouragements**. Choisissez deux ou trois personnes que vous allez encourager ce mois-ci. Envoyez-leur à chacune un petit mot écrit à la main chaque semaine. Rendez-vous disponible pour elles. Et donnez de votre temps sans rien attendre en retour. À la fin du mois, examinez votre relation avec elles pour déceler un changement positif.
- ❑ **Reconstruisez les ponts**. Cherchez quelqu'un avec qui vous avez eu tendance à être négatif dans le passé (vous pouvez choisir un collègue, un membre de votre famille ou un employé, par exemple). Excusez-vous auprès de lui pour vos actions ou vos paroles passées. Puis trouvez la qualité que vous admirez le plus en lui et faites-lui en part. Durant les semaines qui suivent, cherchez des moyens d'améliorer et de renforcer votre relation avec lui.

Chapitre 3

## *Une personne d'influence a*

# FOI EN AUTRUI

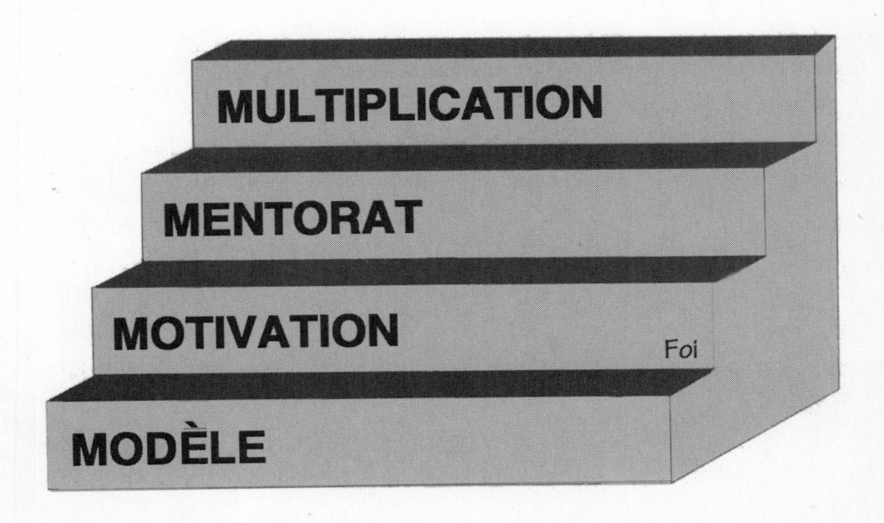

Jim a grandi à Niagara Falls, dans l'État de New York. Aujourd'hui, la population se chiffre à environ 60 000 habitants, mais elle était proche de 100 000 à l'époque. C'était un centre industriel florissant, avec des sociétés comme DuPont Chemical. Elle possédait aussi des atouts culturels, comme une solide université centenaire et d'autres attraits. Mais l'intérêt principal de la ville était et demeure encore aujourd'hui ses chutes, une incroyable merveille de la nature.

Les Iroquois leur ont donné le nom Niagara, qui veut dire «fracas d'eau». C'est impressionnant à voir. Plus de 340 000 mètres cubes d'eau par minute tombent d'une hauteur de 55 mètres. Et en comptant la partie canadienne et la partie américaine, elles mesurent près d'un kilomètre de large. Elles sont considérées à juste titre comme une des merveilles du monde. Voici ce que raconte Jim à propos des chutes:

> Pendant notre enfance, nous entendions raconter des tas d'histoires sur les chutes et les exploits audacieux que les gens avaient l'habitude de tenter – comme Annie Edson Taylor qui a sauté les chutes à bord d'un tonneau. Une des grandes légendes de la ville se rapportait à Charles Blondin, un acrobate français qui a vécu de 1824 à 1897. En 1859, il a traversé les chutes sur un filin tendu entre les rives américaine et canadienne. Il fallait sans doute des nerfs d'acier, car s'il tombait, c'était la mort assurée. En fait, il a fait la traversée plusieurs fois: avec une brouette, avec les yeux bandés et sur des échasses. Il était, paraît-il, tout à fait extraordinaire. Il a même continué ses exploits alors qu'il avait plus de 70 ans.
>
> Une de ses prouesses les plus incroyables a été de traverser les chutes sur le filin en portant un homme sur son dos. Vous imaginez ça? Je suppose que traverser tout seul n'était pas assez difficile pour lui! Mais aussi périlleux qu'ait été l'exploit pour Charles Blondin, je n'arrive pas à comprendre comment il a pu trouver quelqu'un pour faire la traversée avec lui. Ça, c'est ce qu'on appelle de la confiance: monter sur le dos d'un homme

qui s'apprête à traverser 800 mètres sur *un filin* suspendu au-dessus des chutes les plus violentes du monde.

J'ai souvent pensé à ça quand j'étais gamin. À quoi ressemblaient les chutes quand on les voyait d'une corde suspendue? Et plus important encore, qui me ferait confiance au point de se laisser porter sur mon dos pour traverser comme l'avait fait l'homme qui avait confiance en monsieur Blondin?

## DES FAITS SUR LA FOI EN AUTRUI

Nous ne savons pas qui a traversé les chutes avec Charles Blondin, mais il ne fait aucun doute qu'il faisait énormément confiance à l'acrobate français. Après tout, il mettait sa vie entre ses mains. On ne voit pas ce genre de confiance tous les jours. Mais quand cela arrive, c'est quelque chose de très spécial.

La foi en autrui est une qualité indispensable chez celui qui veut influencer les autres. Cependant, c'est une denrée rare de nos jours. Considérez les quatre faits suivants à propos de la foi:

### *1. La plupart des gens ne croient pas en eux*

Il n'y a pas longtemps, nous avons vu *Shœ,* l'éditeur bourru de la bande dessinée humoristique de Jeff MacNelly, debout sur le monticule pendant une partie de baseball. Son receveur lui disait: «Tu dois croire en ta courbe.» Sur le dessin suivant, Shœ faisait cette remarque: «C'est facile pour lui de dire ça. Quand vient le temps de croire en moi, je suis agnostique.»

***«Quand vous croyez aux gens, ils font l'impossible.»***
*Nancy Dornan*

C'est un sentiment que partagent trop de gens de nos jours: ils ont du mal à croire en eux. Ils sont persuadés qu'ils échoueront. Quand ils voient une lumière au bout du tunnel, ils sont même convaincus que c'est un train. Ils voient des difficultés partout. Mais en vérité, les difficultés font rarement échouer les gens; le manque de foi en eux, lui, les mène généralement à l'échec. S'ils croient un peu en eux, ils peuvent accomplir des miracles. Mais sans cela, ils se rendent les choses très difficiles.

### *2. La plupart des gens n'ont personne qui croit en eux*

James Keller raconte cette histoire dans *Just for Today*: «Un marchand n'arrivait pas à vendre ses fleurs sur le trottoir. Soudain, il eut une inspiration heureuse et il écrivit sur une pancarte: «Pour seulement un dollar, un gardénia vous donnera le sentiment d'être important toute la journée». Et aussitôt, il commença à vendre ses fleurs.»

Dans notre société actuelle, la plupart des gens se sentent isolés. Le fort sentiment de communauté qu'ont déjà eu le plaisir de connaître bon nombre de gens est devenu rarissime. Et nombreux sont ceux qui ne trouvent plus le soutien familial si courant il y a 30 ou 40 ans. L'évangéliste Bill Glass a remarqué, par exemple: «Plus de 90% des détenus se sont fait dire par leurs parents quand ils étaient enfants, «on va te mettre en prison».» Au lieu de leur enseigner la confiance en soi, certains parents démolissent leurs enfants. Pour beaucoup de gens, même leurs plus proches ne croient pas en eux. Ils n'ont personne de leur côté. Ce n'est pas étonnant qu'une chose aussi insignifiante qu'une fleur puisse changer la façon de voir une journée.

### *3. La plupart des gens peuvent dire quand on croit en eux*

Les gens savent généralement d'instinct si on croit en eux. Ils peuvent se rendre compte si votre foi est sincère ou non. Et croire en quelqu'un peut réellement changer sa vie. Nancy, la femme de Jim, dit souvent: «Quand vous croyez aux gens, ils font l'impossible».

Dans son livre *Pensez possibilités!*[1], Robert H. Schuller, un ami de John qui est pasteur à la Cathédrale de Cristal de

1. Publié aux éditions Un monde différent.

Garden Grove en Californie, raconte une histoire merveilleuse à propos d'un épisode de son enfance qui a transformé sa vie. Son oncle lui avait prouvé par ses paroles et ses actions qu'il croyait en lui:

> «Sa voiture passa devant la grange sans peinture, puis s'arrêta devant notre barrière avant dans un nuage de poussière d'été. Pieds nus, je traversai en courant la véranda pleine d'échardes et je vis mon oncle Henry sortir d'un bond de la voiture. Il était grand, très beau, et irradiait la vie et l'énergie. Après avoir vécu outre-mer un grand nombre d'années, comme missionnaire en Chine, il venait nous rendre visite dans notre ferme de l'Iowa. Il courut à la vieille barrière et posa ses deux grandes mains sur mes épaules de petit garçon de quatre ans. Avec un grand sourire, il passa sa main dans mes cheveux ébouriffés et me dit: "Eh bien, c'est bien toi Robert, n'est-ce pas? À mon avis, je crois que tu seras pasteur un jour." Cette nuit-là, j'ai prié en secret: "Mon Dieu, faites que je sois pasteur quand je serai grand!" Je crois que c'est à ce moment-là que Dieu a fait de moi, un "penseur de possibilités", un homme qui pense que TOUT EST POSSIBLE.»

En vous efforçant de devenir une personne d'influence, n'oubliez jamais que votre objectif n'est pas qu'on se fasse une meilleure opinion de vous, mais d'aider les autres à avoir une plus haute opinion d'eux-mêmes. Croyez en eux, et c'est exactement ce qui commencera à leur arriver.

---

***Les difficultés font rarement échouer les gens; le manque de foi, lui, les mène généralement à l'échec.***

---

### *4. La plupart des gens feront n'importe quoi pour être à la hauteur de la foi que vous avez en eux*

Les gens réussissent ou échouent pour répondre à vos attentes. Si vous exprimez du doute et du scepticisme à leur égard, ils réagiront à votre manque de confiance par la médiocrité. Mais si vous croyez en eux et que vous vous attendez à ce qu'ils se débrouillent bien, ils en feront toujours un peu plus pour faire du mieux possible. Et ce sera bénéfique, pour eux comme pour vous. John H. Spalding exprimait cette idée ainsi: «Ceux qui croient en nos talents font plus que nous stimuler. Ils créent un climat où il devient plus facile pour nous de réussir.»

Si vous n'avez jamais été du genre à faire confiance aux gens ni à croire en eux, modifiez votre façon de penser et commencez à croire en autrui. Votre vie s'améliorera rapidement. Quand vous croyez aux autres, vous leur faites un cadeau exceptionnel. Donnez-leur de l'argent, et ils le dépenseront aussitôt. Donnez-leur des ressources, et ils risquent de ne pas les utiliser pour leur plus grand bien. Donnez-leur de l'aide et peu de temps après, ils se retrouveront souvent au point de départ. Mais croyez en eux, et ils deviendront confiants, stimulés et autonomes. Ils deviennent motivés à acquérir ce dont ils ont besoin pour réussir tout seuls. Et si par la suite, vous leur donnez de votre argent, de vos ressources et de votre aide, ils seront davantage en mesure de les utiliser pour se bâtir un meilleur avenir.

## LA FOI EST UNE CROYANCE QUI SE TRADUIT EN ACTIONS

Vers la fin du XIXe siècle, un vendeur venu de l'Est arriva dans une ville frontière des Grandes Plaines. Pendant qu'il parlait avec le propriétaire du magasin du coin, un propriétaire de ranch entra, et le commerçant interrompit l'entretien en s'excusant pour aller s'occuper de son client. Le vendeur ne put s'empêcher d'entendre leur conversation. Apparemment, le cow-boy voulait acheter à crédit.

«Jake, vas-tu poser des clôtures le printemps prochain?» lui demanda le propriétaire du magasin.

– Bien sûr, Bill.

– Vas-tu simplement les refaire ou en faire d'autres?

– Je vais palissader ailleurs. Je prends 150 hectares de terrain de l'autre côté du ruisseau.

– Je suis content d'entendre ça, Jake. Je te fais crédit. Tu n'as qu'à demander ce qu'il te faut à Steve, dans l'arrière-boutique.»

Le vendeur abasourdi fit remarquer au propriétaire du magasin: «J'ai déjà vu bien des modes de crédit, mais jamais un comme celui-là. Comment ça fonctionne?

– Eh bien, laissez-moi vous expliquer. Si un homme refait uniquement ses clôtures, cela veut dire qu'il a peur et essaie simplement de s'accrocher à ce qu'il possède. Mais s'il en pose d'autres, cela veut dire qu'il s'agrandit et cherche à améliorer son sort. Je fais toujours crédit à ce genre d'homme car cela signifie qu'il croit en lui.»

Croire en quelqu'un, ce n'est pas seulement avoir des bons mots et des sentiments positifs à son égard. Il faut prouver sa foi par ses actions. Comme W.T. Purkiser, professeur émérite de sciences religieuses au Collège Point Loma, l'a clairement énoncé: «La foi, ce n'est pas seulement penser qu'une chose est vraie, c'est y croire au point d'agir en conséquence.»

Si vous désirez aider les autres et jouer un rôle positif dans leur vie, il faut les traiter avec ce genre de confiance. Selon Ralph Waldo Emerson: «Faites confiance aux gens, et ils seront sincères avec vous. Traitez-les de façon exceptionnelle, et ils se montreront exceptionnels.» Devenez quelqu'un qui croit aux gens, et même les plus hésitants et les plus inexpérimentés s'épanouiront sous vos yeux.

## COMMENT APPRENDRE À CROIRE EN AUTRUI

Nous avons eu la chance de vivre dans des milieux positifs où nous nous sentions soutenus. Par conséquent, il nous est facile de croire aux gens et d'exprimer cette foi. Mais nous savons que tout le monde n'a pas bénéficié d'une éducation positive. La plupart des gens doivent *apprendre* à croire en autrui. Pour bâtir cette foi, essayez d'appliquer les suggestions suivantes.

### *N'attendez pas qu'ils réussissent pour croire en eux*

Avez-vous déjà remarqué le nombre de gens qui deviennent partisans d'une équipe sportive à partir du moment où elle gagne? C'est arrivé ici à San Diego, il y a quelques années, quand les Chargers ont gagné le match de division puis les éliminatoires qui menaient au Super Bowl. La ville entière fut prise de folie. L'éclair, le symbole de l'équipe, était partout: sur les maisons privées, sur la lunette arrière des voitures, sur les épinglettes accrochées au revers des vêtements, et ainsi de suite.

À l'apogée du succès des Chargers, deux personnalités de la radio locale, Jeff et Jer, ont rassemblé les habitants de San Diego un bon matin en organisant un grand événement au stade. Leur idée était de donner un T-shirt aux couleurs de l'équipe à ceux qui se présenteraient et d'aligner tout le monde sur le terrain de stationnement pour former un éclair géant. On allait photographier le tout à partir d'un hélicoptère et publier la photo dans le journal du lendemain. Il fallait quelques milliers de personnes pour que ce soit vraiment réussi. En fait, ils espéraient en avoir au moins suffisamment pour pouvoir le faire. Imaginez leur surprise de voir arriver tellement de gens qu'il n'y eut pas assez de T-shirts, et ils ont fini en bordant «l'éclair humain» d'une ligne de figurants. L'événement avait pris des proportions telles que plusieurs services des informations sont venus le filmer et l'ont diffusé sur le réseau national.

Tout le monde aime les gagnants. C'est facile de croire en quelqu'un qui a déjà fait ses preuves, mais c'est beaucoup plus difficile d'y croire *avant*. C'est cependant la clé pour inciter les gens à réaliser leur potentiel. Vous devez commencer par croire en eux avant qu'ils aient du succès, et même parfois avant qu'ils ne croient eux-mêmes en eux. Selon l'écrivain et moraliste français Joseph Joubert: «On ne peut donner la foi sans croire soi-même. Pour persuader, il faut être soi-même convaincu.» Vous devez croire aux gens avant de pouvoir les persuader de croire en eux-mêmes.

Certains, autour de vous, ont terriblement besoin de croire en eux-mêmes, mais ils n'ont pas assez d'espoir. Dans votre interaction avec eux, souvenez-vous de la devise du héros français de la Première Guerre mondiale, le maréchal Ferdinand Foch: «Il n'y a pas de situation désespérée, il y a seulement des hommes et des femmes qui en sont venus à perdre espoir à cause de la situation.» Chaque être humain porte en lui les germes de la grandeur, même si souvent ils sommeillent peut-être en eux. Mais quand on croit en quelqu'un, on arrose ces semences et on leur donne la chance de grandir. Chaque fois que vous croyez aux gens, vous vous retrouvez à leur donner l'eau, la chaleur, la nourriture et la lumière qui sustentent leur vie. Et si vous continuez à les encourager par votre foi en eux, ils s'épanouiront avec le temps.

### *Mettez l'accent sur leurs forces*

Nous l'avons déjà mentionné, beaucoup de gens pensent à tort que pour influencer la vie des autres, ils doivent faire figure d'«autorité» et relever leurs failles. Ceux qui tentent d'agir ainsi sont comme Lucy, le personnage de *Peanuts*, la bande dessinée de Charles Schulz. Dans une bande dessinée, Lucy dit au pauvre Charlie Brown: «Toi, Charlie Brown, tu es une balle perdue dans la trajectoire de la vie! Tu es l'ombre de ton propre poteau de but! Tu fais fausse queue au billard! Tu es un trois coups roulés sur le dix-huitième vert! Tu es un écart au dixième carreau... Tu es un lancer franc raté, un mauvais élan, une troisième prise sur décision de l'arbitre! As-tu compris? Ai-je été assez claire?» Ce n'est guère une façon de jouer un rôle positif dans la vie de quelqu'un!

Pour exercer une influence positive sur la vie des autres, il faut faire l'inverse. Le meilleur moyen de leur montrer que vous croyez en eux et de les motiver, c'est de vous concentrer sur leurs forces. Selon Bruce Barton, auteur et cadre dans le domaine de la publicité: «Seuls ceux qui osent penser qu'ils ont en eux quelque chose de supérieur aux circonstances sont capables d'accomplir des choses magnifiques.» En mettant l'accent sur leurs forces, vous aidez les gens à croire qu'ils possèdent en eux ce dont ils ont besoin pour réussir.

***Croire en quelqu'un avant qu'il n'ait fait ses preuves est la clé pour l'inciter à réaliser son potentiel.***

Louez les gens pour ce qu'ils font de bien, à la fois en privé et en public. Dites-leur combien vous appréciez leurs qualités et leur talent. Et faites-le chaque fois que vous avez l'occasion de les complimenter et de les louer en présence de leur famille ou d'amis intimes.

### *Dressez la liste de leurs succès passés*

Même si vous mettez l'accent sur les forces des gens, ils auront peut-être besoin d'encouragements supplémentaires pour voir que vous croyez en eux et pour être motivés. La créatrice d'entreprise Mary Kay Ash donnait le conseil suivant: «Tout le monde porte autour du cou un panneau invisible où est écrit "Faites-moi me sentir important!" N'oubliez jamais ce message quand vous travaillez avec les gens.» Un des meilleurs moyens d'y parvenir, c'est de les aider à se remémorer leurs succès passés.

L'histoire de David et Goliath offre un exemple classique de la façon dont les succès passés peuvent aider quelqu'un à avoir foi en lui. Vous vous souvenez peut-être de cet épisode de la Bible. Un champion philistin de près de trois mètres, nommé Goliath, affrontait l'armée d'Israël et se moquait d'elle depuis quatorze jours, défiant l'armée de lui envoyer un guerrier en combat singulier. Le quatorzième jour, un jeune berger du nom de David, arriva au front pour apporter des vivres à ses frères, membres de l'armée d'Israël. Il fut alors témoin du mépris, des railleries et des défis du géant. Cela le rendit tellement furieux qu'il informa le roi Saül, le roi d'Israël, qu'il désirait se mesurer au géant. Voici ce qui s'est passé:

> «David dit à Saül: "Que personne ne perde courage à cause de lui. Ton serviteur ira se battre contre ce Philistin." Mais Saül

répondit à David: "Tu ne peux pas marcher contre ce Philistin pour lutter avec lui, car tu n'es qu'un enfant, et lui, il est un homme de guerre depuis sa jeunesse."

«Mais David dit à Saül: "Quand ton serviteur faisait paître les brebis de son père et que venait un lion ou un ours qui enlevait une brebis du troupeau, je le poursuivais, je le frappais et j'arrachais celle-ci de sa gueule. Et s'il se dressait contre moi, je le saisissais par les poils du menton et je le frappais à mort. Ton serviteur a tué le lion et l'ours (...) Yahvé qui m'a sauvé de la griffe du lion et de l'ours me sauvera des mains de ce Philistin." Alors Saül dit à David: "Va et que Yahvé soit avec toi!"»[1]

David s'est remémoré ses succès passés et il a eu confiance en ses actions futures. Et, bien sûr, quand il a affronté le géant, il l'a abattu comme un arbre, sans rien d'autre qu'une fronde et une pierre. Et quand il eut coupé la tête de Goliath, son succès a inspiré ses compatriotes qui ont défait l'armée des Philistins.

Tout le monde n'a pas la capacité innée de reconnaître ses succès passés et d'y puiser sa confiance. Certains ont besoin d'aide. Si vous pouvez montrer aux gens leurs victoires passées et les aider à voir qu'elles ont pavé la route de leurs futurs succès, ils amélioreront leur capacité de passer à l'action. La liste de leurs succès passés les aidera à croire en eux.

### *Redonnez-leur confiance quand ils échouent*

Quand les gens commencent à croire qu'ils peuvent réussir dans la vie, grâce à votre foi en eux et à vos encouragements, ils ne tardent pas à atteindre un plateau critique. Dès le premier ou le deuxième échec – ce qui leur arrivera forcément, puisque les échecs font partie de la vie – ils auront le choix d'abandonner ou de continuer.

Certains sont résistants et prêts à poursuivre leurs efforts pour réussir, même s'ils ne voient pas de progrès immédiats. Mais ceux qui ne sont pas aussi déterminés s'effondreront au premier indice de difficultés. Pour leur donner un coup de

---

1. (1 Samuel 17, 32-37).

pouce et les stimuler, il faut continuer de leur montrer votre confiance en eux, même quand ils font des erreurs ou obtiennent de piètres résultats.

Un des moyens d'y parvenir, c'est de leur faire part de vos expériences traumatisantes et de vos problèmes passés. Les gens pensent parfois que si on a du succès actuellement, on en a toujours eu avant. Ils ne réalisent pas que vous avez eu votre lot de fiascos, d'échecs et de maladresses. Montrez-leur que le succès est un cheminement, un processus, et non une destination. Quand ils se rendront compte que vous êtes encore capable de réussir malgré vos échecs, ils comprendront qu'il n'y a rien de mal à échouer. Et leur confiance demeurera intacte. Ils apprendront à penser comme Babe Ruth, le légendaire joueur de baseball: «Ne laisse jamais la peur du retrait au bâton te barrer le chemin.»

### *Faites ensemble l'expérience de victoires*

Il ne suffit pas de savoir que l'échec est inhérent aux progrès. Pour être vraiment motivé à réussir, on doit être persuadé de pouvoir gagner. Comme beaucoup d'autres d'entre nous, John a goûté à la victoire quand il était encore enfant. Voici ce qu'il raconte:

> Durant mon enfance, j'idolâtrais mon frère Larry, qui a deux ans et demi de plus que moi. Après mes parents, il était probablement la personne qui m'influençait le plus à cette époque-là. Larry a toujours été un leader exceptionnel et un excellent athlète. Et chaque fois que nous jouions au basket-ball, au football ou au baseball avec les gamins du quartier, c'était toujours Larry le capitaine.
>
> Quand on formait les équipes, j'étais très souvent le dernier à être choisi parce que j'étais plus jeune et plus petit que la plupart des autres gamins. Mais à mesure que je grandissais, Larry commençait à me prendre de plus en plus souvent dans son équipe. Cela me faisait toujours plaisir non seulement parce que cela voulait dire que Larry s'intéressait à moi, mais aussi parce que je savais que j'allais faire partie de l'équipe gagnante. Voyez-vous, Larry était un adversaire féroce et il détestait perdre. Il jouait toujours pour gagner, et c'est généralement ce qui arrivait. Nous avons souvent gagné ensemble et j'ai fini par m'attendre à la victoire chaque fois que je jouais avec lui.

La victoire est stimulante. Une vérité que le romancier David Ambrose a reconnue en ces termes: «Si vous avez la volonté de gagner, vous êtes à mi-chemin du succès; sinon, vous êtes à mi-chemin de l'échec.» En partageant quelques victoires avec les gens, vous leur donnez des raisons de croire qu'ils gagneront. Et de cette expérience, ils tireront un sentiment de réussite. C'est alors que des choses extraordinaires commenceront à se produire dans leur vie. La comparaison suivante vous montre comment on se comporte différemment quand on éprouve un sentiment de succès ou, au contraire, un sentiment d'échec:

| **Sentiment de succès** | **Sentiment d'échec** |
|---|---|
| On se sacrifie pour réussir. | On en fait le moins possible. |
| On cherche des moyens de gagner. | On cherche des excuses. |
| On devient énergique. | On devient fatigué. |
| On suit le plan stratégique. | On laisse tomber le plan stratégique. |
| On aide les autres membres de l'équipe. | On blesse les autres. |

Pour aider les gens à se convaincre qu'ils peuvent réussir, donnez-leur l'occasion de connaître de petites victoires. Encouragez-les à se charger de tâches ou de responsabilités que vous les savez capables d'assumer et de mener à bien. Et donnez-leur le soutien dont ils ont besoin pour réussir. Comme l'affirmait l'orateur grec Démosthène: «Les petites occasions sont souvent le point de départ de réalisations exceptionnelles.» Plus leur confiance s'affirmera, plus ils accepteront des défis de plus en plus difficiles, mais ils pourront y faire face avec confiance et compétence avec l'habitude, grâce à l'expérience positive qu'ils sont en train d'acquérir.

### *Donnez-leur une vision de leurs succès futurs*

Nous avons entendu parler d'une expérience avec des rats de laboratoire, visant à mesurer leur motivation dans diverses situations. Les scientifiques laissaient tomber un rat dans une cruche remplie d'eau et placée dans l'obscurité totale, puis ils chronométraient le temps qu'il continuait à nager avant de renoncer et d'accepter de se noyer. En général, le rat ne tenait pas beaucoup plus de trois minutes.

Puis ils ont répété l'expérience avec un autre rat, mais au lieu de placer la cruche dans l'obscurité totale, ils ont laissé pénétrer un rayon de lumière qui l'éclairait. En pareil cas, le rat continuait de nager pendant 36 heures. Ce qui correspond à 700 fois plus de temps que le rat plongé dans l'obscurité! Parce qu'il pouvait voir, le rat continuait d'espérer.

Si c'est vrai pour des animaux de laboratoire, imaginez combien la visualisation peut avoir un effet puissant sur l'être humain qui a de plus grandes capacités de raisonnement. On peut vivre 14 jours sans manger, dit-on, 4 jours sans boire, 4 minutes sans air, mais seulement 4 secondes sans espoir. Chaque fois que vous donnez à quelqu'un une vision de ses succès futurs, vous le renforcez, vous le motivez, et vous lui donnez une raison de continuer.

### *Attendez-vous à un nouveau niveau de vie*

L'homme d'État allemand, Konrad Adenauer, observait: «Nous vivons tous sous le même ciel, mais nous n'avons pas tous le même horizon.» En qualité de personne d'influence, vous avez pour objectif d'aider les autres à voir par-delà leur situation actuelle et à rêver en grand. Quand vous avez foi en eux, vous les aidez à élargir leur horizon et vous les motivez à atteindre une tout autre dimension.

***Pour aider quelqu'un à croire qu'il peut réussir, donnez-lui l'occasion de connaître de petites victoires.***

Le changement d'attitude fait partie intégrante de cette nouvelle manière de vivre. Selon Denis Waitley: «La petite différence qui fait un gagnant n'est pas le don, le QI élevé, ou le talent. C'est l'attitude et non l'aptitude. L'attitude est la clé du succès.» Quand l'attitude des gens passe du doute à la confiance – confiance en eux et en leur capacité de réussir et de réaliser leur potentiel – tout s'améliore dans leur vie.

Jim et Nancy ont acquis une connaissance intime remarquable du pouvoir de la foi en autrui, il y a quelques années, quand ils ont décidé de tenter une expérience audacieuse avec leur fils Eric, sur une montagne de l'Utah. Voici comment Jim en parle:

> Quand on a un enfant handicapé, on vit sans arrêt des émotions contradictoires car on veut à la fois lui faire connaître de nouvelles expériences et le protéger des blessures ou de l'échec. Notre vie avec Eric ne faisait pas exception à la règle. Eric était extrêmement positif malgré son handicap, qui l'oblige à se déplacer en fauteuil roulant et le prive en grande partie de l'usage de sa main droite. Le plus souvent, ce n'était pas lui qui hésitait à tenter une nouvelle expérience, mais bien Nancy et moi.
>
> Il y a environ cinq ans, Nancy a eu l'idée d'emmener Eric faire du ski. Un ami lui avait parlé d'un centre appelé National Ability Center à Park City, en Utah. On y offre des services de formation et d'aide aux handicapés qui veulent pratiquer le ski, la natation, le tennis, le ski aquatique, l'équitation, le rafting et d'autres activités. Elle avait pensé qu'une telle expérience améliorerait considérablement l'estime de soi d'Eric.
>
> Dès le début, je dois l'admettre, j'étais plutôt sceptique. Sachant combien il m'est difficile de faire du ski, j'avais du mal à imaginer Eric dévalant une pente de 3 000 mètres. Et cela ne m'aidait pas de savoir qu'un choc à la tête risquait de provoquer une crise qui mènerait Eric à l'hôpital pour une autre opération au cerveau. Mais Nancy était convaincue qu'Eric pouvait skier et quand elle croit, il croit lui aussi. On est donc allé voir ce qu'il en était.
>
> Une fois rendu à Deer Valley et après avoir rencontré quelques membres du personnel du National Ability Center, j'ai commencé à me sentir un peu mieux. Ils étaient professionnels et extrêmement positifs. Ils nous ont montré l'équipement qu'utiliserait Eric, une sorte de véloski avec un siège moulé. Eric prendrait place sur le siège et se dirigerait en utilisant un bâton de ski d'appui.
>
> Quand nous avons commencé à remplir les papiers, nous avons été provisoirement paralysés en lisant le formulaire d'abandon

de recours où il était précisé qu'Eric participerait «à des activités supposant des risques de blessures graves, voire de handicap permanent et de mort». Le risque nous semblait maintenant très réel, mais Eric était devenu si emballé que nous voulions lui éviter de remarquer toute hésitation de notre part.

Après avoir sanglé Eric dans son véloski avec du velcro et lui avoir donné quelques conseils, Stephanie, sa jeune instructrice, l'a emmené en haut de la petite pente d'essai. Environ dix minutes plus tard, nous étions tout enthousiastes de voir Eric dévaler la pente, avec le plus grand des sourires sur le visage. Nous étions si fiers de lui que nous lui avons fait des signes de victoire et donné de grandes tapes dans le dos. J'ai alors pensé: *C'était pas si mal.*

Puis Eric est remonté avec Stephanie. Ce que nous ne savions pas, c'est que cette fois, ils partaient vers le sommet de la montagne. Nous avons attendu au pied de la pente. Et nous l'attendions avec impatience. Nous ne savions pas vraiment si nous allions voir Eric arriver en dévalant la montagne sur ses skis ou sur une civière avec l'équipe de patrouilleurs-secouristes. Finalement, après une trentaine de minutes, nous l'avons vu prendre une courbe avec Stephanie et skier jusqu'en bas de la pente. Il avait les joues toutes rouges et arborait un sourire fendu jusqu'aux oreilles. Il adorait ça!

«Pousse-toi, papa!», m'a-t-il lancé en passant à toute vitesse devant nous. «Je retourne en haut.»

Eric a skié tous les jours pendant notre séjour. En fait, il nous a dit une fois après avoir fini de skier: «Ce n'est pas Stephanie qui m'a accompagné aujourd'hui.

– Ah oui? Ah bon?», a enchaîné Nancy. «Alors, avec qui as-tu skié?»

– Avec un gars qui n'avait qu'une jambe.

– Quoi!» a hurlé Nancy. «Qu'est-ce que tu veux dire par un gars qui n'avait qu'une jambe?

– Ouais, un unijambiste.» Puis, Eric a ajouté avec un sourire malicieux: «Tu veux savoir comment il a perdu sa jambe? Dans une avalanche!»

Depuis, Eric va faire du ski chaque année et sa vie est transformée. Il a maintenant confiance comme jamais et il est prêt à essayer à peu près n'importe quoi. Il nage trois fois par semaine, il fait de l'haltérophilie, il joue au *soccer* motorisé et pratique toutes sortes d'activités. On pourrait dire qu'il a adopté la devise du National Ability Center: «Si je peux faire ça, je peux faire n'importe quoi!»

S'ils s'étaient arrêtés aux craintes de Jim, Eric n'aurait jamais eu la chance de vivre cette expérience sur une montagne de l'Utah il y a cinq ans. Jim aime Eric de tout son cœur, mais il a tendance à trop vouloir le protéger. Avoir foi en autrui exige de prendre des risques. Mais les récompenses l'emportent sur les risques. Robert Louis Stevenson disait: «Le seul objectif valable d'une vie, c'est d'être ce qu'on est et de devenir ce qu'on est capable de devenir.» Quand vous croyez aux gens, vous les aidez à réaliser leur potentiel. Et vous devenez une source d'influence importante dans leur existence.

Liste de contrôle de votre influence
**AVOIR FOI EN AUTRUI**

- ❑ **Trouvez une force**. Pensez à une personne que vous aimeriez encourager. Trouvez une force qui la caractérise et attirez son attention sur cette force. Profitez de cette interaction pour lui exprimer votre confiance en elle.
- ❑ **Basez-vous sur les succès passés**. Si, dans un proche avenir, vous avez à confier à quelqu'un une tâche difficile, prenez le temps de vous remémorer ses succès passés. Puis lors de votre rencontre, rappelez-les-lui. (Si en vous livrant à cet exercice, vous n'arrivez pas à vous rappeler de succès antérieurs, cela indique que vous n'avez pas assez pris le temps de connaître cette personne. Prévoyez passer plus de temps ensemble pour mieux vous connaître).
- ❑ **Aidez les autres à surmonter l'échec**. Si un collègue, un ami, un employé ou un membre de votre famille a connu récemment un échec de quelque nature que ce soit, prenez le temps d'en discuter avec lui. Laissez-le vous raconter tout ce qui s'est passé et, une fois qu'il a terminé, faites-lui bien comprendre qu'il est précieux à vos yeux et que vous croyez toujours fortement en lui.
- ❑ **Partez du bon pied**. La prochaine fois que vous recruterez des gens dans votre organisation, démarrez bien la relation. Au lieu d'attendre qu'ils aient fait leurs preuves pour les complimenter, faites-vous un devoir d'exprimer régulièrement votre foi en eux et en leurs capacités *avant* d'obtenir des résultats. Vous aurez le plaisir de constater qu'ils ont envie de répondre à vos attentes positives.

Chapitre 4

## *Une personne d'influence*

# EST À L'ÉCOUTE DES AUTRES

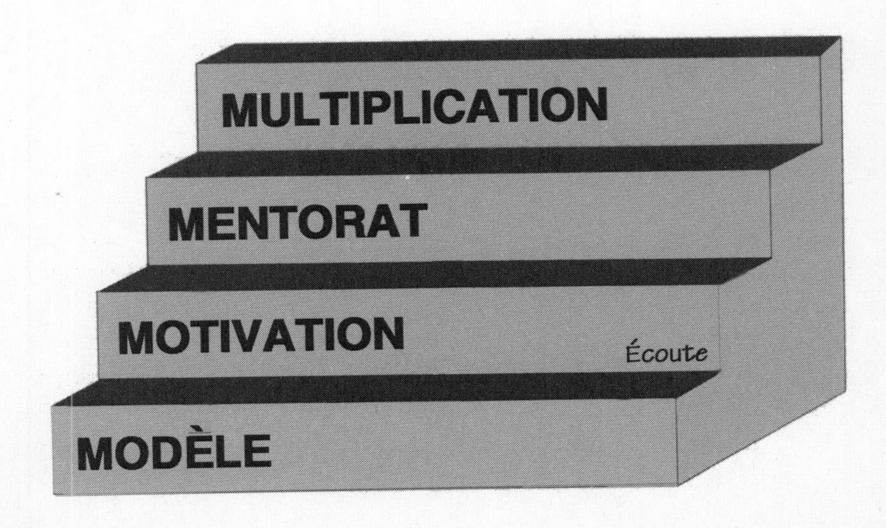

Si vous deviez passer une entrevue pour un nouvel emploi aujourd'hui, quelle serait, à votre avis, l'aptitude dont vous auriez le plus besoin? L'art de rédiger, pour produire un curriculum vitae percutant? Ou peut-être des talents de vendeur? Après tout, c'est ce que vous faites pendant une entrevue, vous vendez votre candidature, n'est-ce pas? Et qu'en est-il du charisme? Si vous avez du charisme, vous êtes certain d'obtenir le poste désiré, non?

Supposons maintenant qu'au lieu de passer une entrevue, vous ayez une journée de recrutement en vue, que vous cherchiez d'éventuels clients d'affaires, des employés pour votre ministère ou des joueurs pour une équipe de baseball. Quelle aptitude devriez-vous mettre en œuvre? Le discernement? La capacité de reconnaître le talent? Celle de donner une vision aux autres et de les stimuler? Ou peut-être celle de mener des négociations impitoyables?

Mieux encore, supposons que votre travail d'aujourd'hui consiste à apporter de nouvelles idées au sein de votre organisation? De quelles qualités avez-vous besoin? La créativité? L'intelligence? Un bon niveau de scolarité? Quelle est la qualité primordiale?

Peu importe la tâche qui vous attend aujourd'hui, vous aurez besoin d'une qualité avant toutes les autres, plus importante que le talent, le discernement et le charme. C'est la qualité que tous les grands leaders s'accordent à trouver indispensable pour être en mesure d'influencer autrui et avoir du succès. Vous avez deviné? C'est la capacité d'écoute.

Nous ne sommes pas tous capables de saisir rapidement l'importance de cette qualité. Prenons l'exemple de Jim:

> Fraîchement sorti de l'École d'ingénieurs de l'université Purdue, j'ai commencé à travailler à la McDonnell-Douglas, une entre-

prise d'environ 40 000 employés. J'étais au sein d'une équipe de conception d'avant-garde qui analysait les essais en soufflerie, dans un tunnel aérodynamique, et faisait des simulations de vol sur ordinateur pour étudier la performance du DC-10.

Mais je me suis vite rendu compte que je n'allais pas finir ma carrière dans cette entreprise. Certains de mes collègues étaient là depuis une vingtaine d'années et rien n'avait changé pour eux pendant tout ce temps. Ils faisaient du surplace et attendaient leur retraite. Moi, j'avais envie d'avoir plus d'impact sur mon univers.

C'est alors que j'ai commencé à chercher des occasions de me lancer en affaires, et quand je suis tombé sur la bonne, j'ai entrepris de recruter des associés. À l'époque, ma stratégie consistait à rencontrer les gens dans l'immense cafétéria de l'entreprise. Après avoir fait la queue avec mon plateau, je cherchais une place près d'un gars à l'air intelligent et assis tout seul à une table, puis j'engageais la conversation avec lui. Dès que j'en avais l'occasion, je le bombardais d'informations et j'essayais de le convaincre par des faits impressionnants et avec une logique irréfutable. La force de mes convictions m'a permis d'intimider quelques gars, mais j'étais incapable d'établir une relation constructive avec qui que ce soit.

J'ai agi de la sorte pendant plusieurs mois sans grand succès, jusqu'au jour où je me suis retrouvé à simplement discuter avec un gars d'un autre service. Il me parlait de sa frustration par rapport à son patron et de ses problèmes à la maison. Il venait de s'apercevoir que son fils aîné avait besoin d'appareil orthodontique, et sa vieille voiture était sur le point de rendre l'âme. Il se demandait où il trouverait l'argent pour tout ça. Je compatissais vraiment à ses problèmes et j'avais envie de faire plus ample connaissance avec lui.

Puis, soudain, j'ai réalisé que je pouvais l'aider. Il se sentait limité dans son travail et il avait des ennuis d'argent: deux problèmes qu'il pouvait régler en se lançant à son compte. J'ai donc commencé à lui parler de mon organisation et à lui expliquer que c'était sans doute la solution à quelques-uns de ses problèmes. Et, à ma grande surprise, cela l'a vraiment intéressé.

Ce jour-là, j'ai eu une révélation: *«Quel idiot j'avais été! Je ne peux pas avoir du succès auprès des gens en leur déversant des tonnes d'informations. Si je veux les aider et jouer un rôle dans leur vie, je dois apprendre à les écouter!»*

## LA VALEUR DE L'ÉCOUTE

Edgar Watson Howe a dit un jour en plaisantant: «Aucun interlocuteur ne vous écouterait s'il ne savait pas que ce sera à son tour de parler après.» Malheureusement, sa boutade décrit avec justesse le comportement de bien des gens en matière de communication: ils sont trop occupés à attendre leur tour pour vraiment écouter les autres. Mais les personnes d'influence comprennent l'extrême importance d'une bonne écoute. Par exemple, quand Lyndon B. Johnson était nouvellement sénateur au Texas, il avait en permanence sur le mur de son bureau un petit panneau où l'on pouvait lire: «Vous n'apprenez jamais rien quand c'est vous qui parlez.» Et Woodrow Wilson, le 28e président américain, a dit un jour: «Les oreilles d'un leader doivent résonner au son de la voix de son peuple.»

La capacité d'écouter de manière appropriée est une des qualités essentielles pour acquérir de l'influence. Considérez ces bienfaits de l'écoute:

### *L'écoute est un signe de respect*

La psychologue Joyce Brothers disait: «L'écoute, et non l'imitation, est peut-être la forme de flatterie la plus sincère.» Quand vous ne prêtez pas attention à ce que les autres disent, au message transmis, c'est que vous ne leur accordez aucune valeur. Mais quand vous les écoutez, c'est que vous les respectez. Plus encore, vous leur montrez que vous vous intéressez à eux. Pour Paul Tillich, le philosophe et théologien d'origine allemande: «Le premier devoir quand on aime, c'est d'écouter.»

Une erreur commune en matière de communication, c'est d'essayer le plus possible d'impressionner son interlocuteur. On aimerait avoir l'air intelligent, spirituel ou amusant. Mais pour entrer vraiment en relation avec les autres, il faut être prêt à se concentrer sur ce qu'ils ont à offrir. Soyez *impressionné et intéressé*, et non *impressionnant et intéressant*. Le poète et philosophe Ralph Waldo Emerson l'a reconnu en ces termes:

«Chaque être que je rencontre est, d'une certaine façon, supérieur à moi et peut m'apprendre quelque chose.» N'oubliez jamais cela, soyez à l'écoute et l'axe des transmissions de communications restera toujours ouvert.

### *Les relations se bâtissent sur l'écoute*

L'auteur de *Comment se faire des amis et influencer les autres*, Dale Carnegie, donnait le conseil suivant: «Vous vous ferez plus d'amis en deux semaines si vous apprenez à écouter les autres que vous ne vous en ferez en deux ans si vous tentez d'amener les autres à s'intéresser à vous.» Dale Carnegie possédait un don incroyable pour comprendre les relations. Selon lui, une personne centrée sur elle-même qui passe son temps à parler d'elle et de ses soucis entretient rarement de très bonnes relations. Dans *La Magie de voir grand*[1], David J. Schwartz notait: «Les grands monopolisent l'écoute, les petits monopolisent la parole.»

En apprenant à bien écouter, vous pouvez établir un lien avec les autres à plusieurs niveaux et entretenir des relations plus solides et plus profondes en répondant à un besoin. Comme le faisait remarquer l'auteur C. Neil Strait: «Nous avons tous besoin de sentir que quelqu'un nous écoute vraiment.» Quand vous devenez cette oreille attentive, vous aidez les autres et vous franchissez une étape importante qui vous permettra d'influencer leur vie.

### *L'écoute augmente les connaissances*

Selon Wilson Mizner: «Celui qui sait écouter est non seulement populaire partout, mais il finit par savoir quelque chose.» Si vous décidez de vraiment écouter les gens, vous serez surpris par tout ce que vous pourrez apprendre sur vos amis, votre famille, votre travail, l'organisation où vous travaillez, et sur vous-même. Mais tout le monde n'est pas conscient des avantages de l'écoute. Nous avons, par exemple,

1. Publié aux éditions Un monde différent sous format de livre et de cassette audio.

entendu cette histoire du joueur de tennis professionnel en train de donner des leçons à un nouvel élève. Après avoir observé le novice frapper plusieurs fois la balle, il l'arrête et lui suggère des façons d'améliorer son élan. Mais chaque fois, l'élève l'interrompt pour donner son opinion sur le problème et sur la façon de le résoudre. Après plusieurs interruptions, le pro commence à hocher la tête en signe d'acquiescement.

Une fois la leçon terminée, une femme qui avait assisté à la scène demande au pro: «Pourquoi avez-vous approuvé toutes les suggestions stupides de cet arrogant?» Le pro lui répond en souriant: «Ça fait longtemps que j'ai appris qu'on perd son temps en essayant de vendre les vraies *réponses* à quelqu'un qui ne veut acheter que l'*écho de ses paroles*.»

***Vous ne saurez jamais combien vous êtes proche d'une idée extrêmement rentable tant que vous ne serez pas prêt à écouter.***

Veillez à ne pas adopter le comportement de celui qui connaît toutes les réponses. Chaque fois que vous vous comportez de la sorte, vous vous exposez à un danger: il est presque impossible de se considérer comme «le spécialiste» et de continuer à s'améliorer et à apprendre en même temps. Tous ceux qui apprennent beaucoup écoutent énormément.

Ceux qui gagnent en autorité ont souvent tendance à écouter de moins en moins les autres, en particulier leurs subordonnés. Même s'il est vrai que plus vous êtes haut dans la hiérarchie, moins on vous demande d'écouter les gens, il est également vrai que vous devez améliorer votre capacité d'écoute. Plus vous vous éloignez du travail sur le terrain, plus vous dépendez des autres pour obtenir une information fiable. Vous serez en mesure de réunir l'information nécessaire à votre réussite uniquement si vous avez d'abord acquis puis entretenu de bonnes stratégies d'écoute.

Plus vous avancez dans la vie et dans votre succès, plus vous ne devez jamais perdre de vue que vous devez continuer à vous développer et à vous améliorer. Et n'oubliez jamais: faire la sourde oreille indique qu'on a l'esprit fermé.

### *L'écoute engendre des idées*

Les idées neuves et innovatrices nous aident à trouver de nouvelles façons de résoudre des vieux problèmes, à donner naissance à de nouveaux produits, à maintenir la croissance de nos organisations et à continuer de nous développer et de nous améliorer sur le plan personnel. Plutarque, de la Grèce antique, affirmait: «Sachez écouter même ceux qui parlent mal, et vous en tirerez profit.»

Quand on pense à des entreprises innovatrices qui ne semblent jamais à cours d'idées, 3M nous vient immédiatement à l'esprit. Cette entreprise semble mettre au point des nouveaux produits plus vite que presque tout autre fabricant. Elle a la réputation d'être ouverte aux suggestions de son personnel et à l'écoute de sa clientèle. En fait, selon un représentant de 3M, les plaintes des clients sont la toute première source d'idées pour les produits.

Les bonnes entreprises sont réputées pour savoir écouter leur personnel. Les restaurants Chili ont également cette réputation. Selon le magazine *Restaurants and Institutions*, c'est une des chaînes de restaurants les mieux dirigées de la nation. Presque 80% de ses menus proviennent des suggestions données par ses directeurs de succursales.

Ce qui est bon pour les entreprises efficaces l'est également pour les individus. Si vous êtes en permanence à l'écoute d'autrui, vous ne serez jamais à court d'idées. Les gens adorent apporter leur contribution, en particulier quand leur leader en partage le mérite avec eux. Si vous leur donnez l'occasion de partager leurs idées, et que vous les écoutez avec un esprit ouvert, vous aurez toujours une source d'idées nouvelles. Et même si certaines ne fonctionnent pas, le simple fait de les écouter peut souvent déclencher d'autres idées créatrices chez vous ou chez quelqu'un d'autre. Vous ne saurez jamais combien vous êtes proche d'une idée extrêmement rentable tant que vous ne serez pas prêt à écouter.

### *La loyauté se forge dans l'écoute*

Il se passe quelque chose d'amusant quand on ne prend pas l'habitude d'écouter les gens: ils trouvent quelqu'un d'autre pour le faire. Chaque fois qu'un employé, un conjoint, un collègue, un enfant ou un ami a l'impression que vous ne l'écoutez plus, il cherchera à satisfaire ailleurs son besoin d'être écouté. Les conséquences peuvent parfois être désastreuses: la fin d'une amitié, un manque d'autorité au travail, une perte d'influence parentale ou la rupture d'un mariage.

---

***Personne ne manque jamais une vente pour avoir trop écouté.***

---

Par ailleurs, une bonne écoute attire les gens vers vous. Selon l'auteur et psychiatre Karl Menninger, un des créateurs de la Fondation Menninger: «Les amis qui nous écoutent sont ceux qui nous attirent et près desquels nous voulons rester.» On aime tous celui qui sait écouter et on est attiré par lui. Si vous avez l'habitude d'écouter les gens, en leur donnant de la valeur, à eux et à ce qu'ils ont à offrir, ils sont susceptibles de devenir très loyaux envers vous, même si vous avez avec eux un rapport d'autorité officieux ou informel.

### *L'écoute est un excellent moyen d'aider les autres et de vous aider vous-même*

Roger G. Imhoff conseillait vivement: «Laissez les autres se confier à vous. Cela ne vous donnera peut-être pas grand-chose, mais cela les aidera certainement.» Au premier abord, il peut sembler que votre écoute est bénéfique uniquement pour les autres. Mais en devenant quelqu'un qui sait écouter, vous vous mettez dans une situation également bénéfique pour vous. Vous avez la possibilité d'entretenir des relations solides, de recueillir des informations précieuses, et d'améliorer votre compréhension des autres et de vous-même.

## LES OBSTACLES COURANTS À L'ÉCOUTE

Peu de gens exploitent au maximum leur potentiel en matière d'écoute. Si vous trouvez que votre capacité d'écoute laisse à désirer et que vous voulez l'améliorer, alors vous devez commencer par prendre conscience de certains obstacles courants:

### *Surestimer la parole*

Un humoriste a un jour décrit l'écoute comme «une série d'interruptions grossières pendant que je m'exprime». Le comportement de bien des gens confirme ses dires, plus qu'ils n'aimeraient l'admettre. Si vous demandez, par exemple, à une demi-douzaine de personnes comment améliorer leur capacité de communiquer, la plupart vous expliqueront qu'il leur faut devenir plus persuasives ou mieux maîtriser l'art de parler en public. Peu d'entre elles citeraient l'envie de mieux écouter.

La plupart des gens surestiment la parole et n'accordent pas assez de valeur à l'écoute, même ceux dont le travail a un rapport avec le public, comme les professionnels de la vente. Mais en réalité, une communication efficace ne relève pas de la persuasion mais bien de l'écoute. Pensez-y: Personne ne manque jamais une vente pour avoir trop *écouté.*

Les bons communicateurs savent doser l'écoute et la parole. Le président Abraham Lincoln, considéré comme un des leaders et des communicateurs les plus efficaces de notre histoire, disait: «Quand je me prépare à discuter avec quelqu'un, je passe un tiers de mon temps à penser à moi et à ce que je vais dire, et deux tiers à penser à lui et à ce qu'il va me dire.» C'est une bonne proportion. Écoutez deux fois plus que vous ne parlez.

### *Manquer de concentration*

Pour certains, en particulier ceux qui débordent d'énergie, ralentir assez pour écouter vraiment peut se révéler un défi. On a tendance, pour la plupart, à dire environ 180 mots à la minute alors que la capacité d'écoute est de 300 à 500 mots par minute. Cet écart peut créer de la tension et entraîner une perte de concentration chez celui qui écoute. La plupart comblent cette lacune en trouvant autre chose à faire, comme rêver, réfléchir à leur emploi du temps de la journée, revoir mentalement leur liste de tâches quotidiennes, ou observer les gens. Un peu comme lorsqu'on conduit une voiture. On se contente rarement de regarder seulement la route. Habituellement, on observe le paysage, on mange et on boit, on discute ou on écoute la radio.

Toutefois, pour développer une meilleure capacité d'écoute, vous devez apprendre à diriger votre énergie et votre attention de façon positive en vous concentrant sur votre interlocuteur. Observez son langage corporel. Surveillez les changements d'expression sur son visage. Regardez-le dans les yeux. Peter Drucker, spécialiste en management, faisait remarquer: «Le plus important en matière de communication, c'est d'entendre ce qui n'est pas dit.» Si vous consacrez votre surcroît d'énergie à observer votre interlocuteur avec soin et à interpréter ses paroles, votre capacité d'écoute s'améliorera de façon spectaculaire.

### *Éprouver de la fatigue mentale*

L'ex-président des États-Unis, Ronald Reagan, a raconté une histoire amusante à propos de deux psychiatres, un vieux et un jeune. Tous les jours, ils arrivent au travail en pleine forme et habillés de façon impeccable. Mais à la fin de la journée, le jeune médecin est exténué et débraillé alors que le vieux est plus fringant que jamais.

Le jeune finit par demander à son collègue: «Comment faites-vous pour rester aussi en forme après avoir entendu des patients pendant toute la journée?

– C'est facile», lui répond le vieux médecin. «Je n'écoute jamais.»[1]

Quand il nous arrive d'écouter les gens assez longtemps, on peut se retrouver épuisé. Cependant, divers types de fatigue mentale peuvent altérer votre capacité d'écoute.

Nous avons entendu raconter une histoire à propos d'une femme de 89 ans souffrant de troubles auditifs. Après l'avoir examinée, le médecin lui dit: «Nous avons maintenant des traitements qui nous permettent de traiter les problèmes de surdité. Quand voulez-vous être opérée?

– Il n'y aura pas d'opération», lui répond la vieille dame, car je n'ai pas envie de retrouver l'ouïe. J'ai 89 ans et j'en ai entendu assez comme ça!»

Si vous êtes fatigué ou si vous affrontez des circonstances difficiles, rappelez-vous que pour demeurer efficacement à l'écoute, vous devez puiser plus d'énergie en vous, vous concentrer davantage, et rester centré sur votre interlocuteur.

## Tomber dans le piège des stéréotypes

Avoir une opinion toute faite peut être un obstacle énorme à l'écoute. Nous avons alors tendance à entendre les propos qu'on attend de notre interlocuteur au lieu d'entendre ce qu'il dit réellement. On pense pour la plupart éviter ce piège, mais on s'y fait tous plus ou moins prendre. Lisez la liste suivante de quelques stéréotypes féroces extraits d'un texte humoristique de David Grimes intitulé: *«Les choses que j'aimerais entendre, mais que je n'entendrai jamais.»* Si vous ne vous attendez jamais à entendre ce genre de propos venant des personnes suivantes, alors vous êtes peut-être coupable de stéréotypes.

*Mon garagiste:*

«Cette pièce est beaucoup moins chère que je croyais.»

---

1. Citation de Fred Barnes dans *New Republic*.

«Ça vous coûtera moins cher si vous faites réparer ça au garage un peu plus loin.»

«C'était juste un fil débranché. C'est gratuit.»

*Un employé de magasin:*

«La caisse enregistreuse informatique est en panne. Je vais faire votre facture à la main.»

«Je vais prendre ma pause quand j'aurais *fini* de servir ces clients.»

«Nous sommes désolés de vous avoir vendu un article défectueux. Nous viendrons le chercher chez vous et nous le remplacerons par un neuf ou nous vous le rembourserons intégralement, selon votre préférence.»

*Un entrepreneur:*

«Celui qui a fait ça savait très bien ce qu'il faisait.»

«Je crois que ça va coûter moins cher que le devis estimatif.»

*Un dentiste:*

«Je pense que vous y allez un peu trop fort avec la soie dentaire.»

«Je ne vous poserai aucune question tant que je n'aurai pas enlevé la fraise électrique de votre bouche.»

*Un serveur de restaurant:*

«Je trouve déplacé qu'un serveur donne son prénom, mais puisque vous me le demandez, je m'appelle Tim.»

«J'ai été lent et j'ai manqué d'attention. Je ne peux pas accepter de pourboire.»[1]

Ces phrases sont pleines de finesse. Elles nous rappellent également que les stéréotypes sont hasardeux. Chaque fois

---

1. David Grimes, (Sarasota, Floride) *Herald-Tribune*.

que vous traitez les gens uniquement comme des membres d'une catégorie au lieu de les considérer comme des individus, vous pouvez vous attirer des ennuis. Alors, faites attention. Si vous parlez à des gens et que vous vous retrouvez à penser à eux en leur collant une étiquette de fana de l'informatique, d'adolescent typique, de blonde écervelée, d'ingénieur rigide ou d'un quelconque représentant d'un autre groupe au lieu de les considérer comme des individus, prenez garde! Vous risquez de ne pas écouter réellement ce qu'ils ont à dire.

### *Subir le poids du bagage émotionnel*

Nous avons presque tous des filtres émotionnels qui nous empêchent d'entendre une partie de ce qui est dit. Vos expériences passées, positives comme négatives, colorent votre façon de voir la vie et de vous créer des attentes. Les expériences marquantes en particulier, comme les traumatismes ou les incidents datant de l'enfance, peuvent vous amener à réagir fortement chaque fois que vous avez l'impression de vous retrouver dans une situation similaire. Comme Mark Twain l'a dit un jour: «Un chat qui s'assoit sur un poêle brûlant ne s'assoira plus jamais sur un poêle brûlant. Il ne s'assoira pas non plus sur un poêle froid. À partir de ce moment-là, ce chat n'aimera tout simplement plus les poêles.»

Si vous n'avez jamais essayé de dépasser les expériences passées lourdes en émotions, votre écoute risque d'être altérée par ces émotions. Si vous êtes préoccupé par certains sujets, si un sujet en particulier vous met sur la défensive, ou si vous projetez souvent votre point de vue sur les autres, vous avez peut-être besoin d'approfondir certaines questions avant d'être en mesure d'écouter efficacement.

Selon Sigmund Freud: «Quand on a mal aux dents, on ne peut pas tomber amoureux.» Une rage de dents empêche de remarquer autre chose que la douleur. De même, chaque fois qu'une personne pense à ses propres intérêts, les propos des autres sont étouffés par son intérêt personnel.

### *Se préoccuper de soi-même*

L'obstacle le plus sérieux à l'écoute est probablement l'égocentrisme. Il y a quelques années, on a vu un sketch à la télévision qui illustrait très bien ce problème. Une femme essayait d'engager la conversation avec son mari en train de regarder la télévision:

LA FEMME: Chéri, le plombier n'est pas arrivé à temps pour réparer la fuite du chauffe-eau aujourd'hui.

LE MARI: Oui, oui.

LA FEMME: Alors, la tuyauterie a éclaté et la cave a été inondée.

LE MARI: Silence! C'est le troisième essai et ils sont sur la ligne de but.

LA FEMME: Certains fils électriques ont pris l'eau et Fluffy a failli se faire électrocuter.

LE MARI: Oh non, ils ont un joueur à découvert. Lance! Un toucher!

LA FEMME: Le vétérinaire a dit qu'il irait mieux dans une semaine.

LE MARI: Peux-tu m'apporter quelque chose à manger?

LA FEMME: Le plombier est enfin arrivé et il n'était pasmécontent de l'ampleur des réparations parce qu'il va pouvoir se payer des vacances.

LE MARI: *Est-ce que tu m'écoutes? J'ai faim, je te dis!*

LA FEMME: Stanley, je te quitte. Le plombier et moi, nous prenons l'avion demain matin pour Acapulco.

LE MARI: Arrête de jacasser, s'il te plaît, et va me chercher quelque chose à manger! Le problème dans cette maison, c'est que personne ne m'écoute jamais.

Si vous ne vous préoccupez que de vous-même, vous n'écoutez personne. Mais ironiquement, en n'écoutant pas, vous vous attirez des ennuis finalement beaucoup plus grands que ceux que vous occasionnez aux autres.

## COMMENT AMÉLIORER SA CAPACITÉ D'ÉCOUTE

Selon Brian Adams, l'auteur de *La Cybernétique de la vente*, on passe une grande partie d'une journée normale à écouter. Voici les statistiques qu'il présente:

On passe 9% de la journée à écrire.
On passe 16% de la journée à lire.
On passe 30% de la journée à parler.
On passe 45% de la journée à *écouter*.[1]

1. Publié aux éditions Un monde différent, en 1989.

Vous serez donc probablement d'accord pour reconnaître que l'écoute est importante. Mais que veut dire écouter? Nous avons entendu une histoire, à propos d'un cours d'initiation à la musique dans une école secondaire, qui répond de façon éloquente à cette question. Le professeur a demandé aux élèves si l'un d'eux pouvait expliquer la différence entre écouter et entendre. Au début, personne ne voulait prendre la parole, mais un élève a fini par lever la main et, à la demande du professeur, il a répondu: «Écouter, c'est *vouloir* entendre.»

Cette réponse est un excellent début. Pour savoir écouter, il faut avoir envie d'entendre. Mais il vous faut aussi adopter quelques habitudes pour vous aider. Voici donc neuf suggestions pour apprendre à parfaire votre écoute:

### *1. Regardez votre interlocuteur*

Tout le processus d'écoute commence par l'attention que vous accordez à votre interlocuteur. Quand vous êtes en interaction avec quelqu'un, ne vous remettez pas à jour dans votre travail, ne fouillez pas dans vos papiers, ne faites pas la vaisselle, et ne regardez pas la télévision. Prenez le temps de vous centrer uniquement sur votre interlocuteur. Et si vous n'êtes pas disponible à ce moment-là, prévoyez un moment dès que possible.

### *2. N'interrompez pas votre interlocuteur*

La plupart des gens réagissent mal quand on les interrompt. Ils ont l'impression de ne pas être respectés. Selon Robert L. Montgomery, l'auteur de *Listening Made Easy*: «Interrompre les idées de quelqu'un est aussi grossier que lui marcher sur les pieds.»

Voici les raisons qui poussent généralement les gens à interrompre les autres:

- Ils n'accordent pas assez de valeur à ce que leur interlocuteur a à dire.
- Ils veulent impressionner en montrant combien ils sont intelligents et intuitifs.

- Ils sont trop enthousiasmés par la conversation pour laisser leur interlocuteur finir de parler.

Si vous avez l'habitude d'interrompre les autres, analysez vos motifs et décidez de changer de comportement. Donnez aux gens le temps qu'il leur faut pour s'exprimer. Et ne croyez pas qu'il est nécessaire qu'il y en ait toujours un des deux qui parle. Les silences vous donneront l'occasion de réfléchir à ce qui vient d'être dit afin de pouvoir réagir de façon appropriée.

### *3. Attachez-vous à comprendre*

Avez-vous déjà remarqué la vitesse à laquelle la plupart des gens oublient ce qu'ils ont entendu? Selon les études d'institutions telles que les universités d'État du Michigan, de l'Ohio, de la Floride et l'Université du Minnesota, la majorité des gens peuvent se rappeler seulement 50% de ce qu'ils viennent d'entendre. Et plus le temps passe, plus ils oublient. Le lendemain, ils auront retenu tout au plus 25%.

Un moyen de combattre cette tendance, c'est de vous fixer pour objectif de comprendre au lieu d'essayer de vous rappeler seulement les faits. L'avocat Herb Cohen, également auteur et conférencier, insistait sur ce sujet en ces termes: «Pour une écoute efficace, il faut plus qu'entendre les mots transmis. Il faut comprendre et trouver le sens de ce qui est dit. Après tout, la signification ne vient pas des mots, mais des gens.»

Pour vous aider à mieux comprendre votre interlocuteur pendant que vous l'écoutez, suivez les lignes directrices proposées par Eric Allenbaugh:

1. Écoutez avec votre cœur, pas seulement avec vos oreilles.
2. Écoutez avec l'intention de comprendre.
3. Cherchez à saisir le message, et le message derrière le message.
4. Cherchez à saisir à la fois le contenu et l'émotion.
5. Écoutez avec vos yeux – vous entendrez mieux.

6. Cherchez à saisir ce qui intéresse vos interlocuteurs, pas seulement la position qu'ils ont prise.
7. Écoutez ce qu'ils disent et ce qu'ils ne disent pas.
8. Écoutez avec empathie et recevez ce qui est dit.
9. Cherchez à découvrir leurs peurs et leurs blessures.
10. Écoutez comme vous aimeriez être écouté.[1]

En apprenant à vous mettre à la place de l'autre, vous améliorerez votre capacité de compréhension. Et plus vous comprendrez, mieux vous saurez écouter.

### *4. Décelez le besoin immédiat de votre interlocuteur*

La capacité de déceler le besoin immédiat d'autrui est l'un des éléments d'une écoute efficace. On parle pour tellement de raisons différentes: se faire réconforter, se défouler, convaincre, informer, être compris ou se libérer de sa nervosité. Les gens vous parlent parfois pour des raisons qui ne correspondent pas à vos attentes.

Beaucoup d'hommes et de femmes se retrouvent dans des situations conflictuelles car leurs objectifs divergent de temps à autre lorsqu'ils communiquent. Ils négligent de tenir compte du besoin immédiat de l'autre au moment de l'interaction. Les hommes ont généralement envie de résoudre tous les problèmes dont ils discutent; il leur faut des solutions. Par contre, les femmes sont plus portées à parler d'un problème simplement pour le partager; souvent, elles n'ont besoin ni ne demandent de solutions. Chaque fois que vous décelez le besoin des gens au moment où ils vous parlent, vous situez leur message dans le contexte approprié. Et vous êtes plus apte à les comprendre.

### *5. Surveillez vos émotions*

Comme nous l'avons déjà mentionné, chez la plupart des gens le bagage émotionnel peut provoquer des réactions face à certaines personnes ou à certaines situations. Chaque fois que vous devenez extrêmement émotif en écoutant quel-

1. Eric Allenbaugh, *Chocs toniques*, Le Jour, 1995.

qu'un, surveillez vos émotions – en particulier, si votre réaction semble sans commune mesure avec la situation. Vous ne voulez pas vous défouler sur un interlocuteur qui ne se doute de rien. Soit dit en passant, même si votre réaction n'a rien à voir avec un événement de votre passé, vous devriez toujours laisser votre interlocuteur finir d'expliquer son point de vue, ses idées et ses convictions avant d'avancer les vôtres.

### *6. Suspendez votre jugement*

Vous est-il déjà arrivé d'écouter quelqu'un raconter une histoire et de commencer à réagir avant qu'il n'ait terminé? À peu près toutle monde l'a déjà fait. Mais il demeure que vous ne pouvez pas sauter aux conclusions et bien écouter en même temps. Écoutez l'histoire jusqu'au bout avant de réagir. Sinon, vous risquez de rater ce que votre interlocuteur avait de plus important à dire.

### *7. Résumez de temps à autre les propos de votre interlocuteur*

Selon l'avis des spécialistes, l'écoute la plus efficace est l'écoute active. John H. Melchinger suggère: «Réagissez à ce que vous venez d'entendre par des commentaires appropriés à ce que vient d'exprimer votre interlocuteur. Par exemple, vous pouvez dire: «Charles, c'est manifestement très important pour toi.» Cela vous aidera à rester attentif dans votre écoute. Allez plus loin avec «C'est intéressant». Si vous vous habituez à faire des commentaires judicieux, votre interlocuteur saura que vous écoutez et vous donnera peut-être plus d'informations.»

Une technique de l'écoute active consiste à résumer de temps à autre les propos de votre interlocuteur. Quand il a fini de parler d'un sujet, paraphrasez son point de vue ou ses idées principales avant d'enchaîner sur un autre sujet et vérifiez si vous avez bien saisi son message. C'est une façon de rassurer votre interlocuteur et cela vous aide à rester centré sur ce qu'il essaie de vous communiquer.

### *8. Cherchez à clarifier en posant des questions*

Avez-vous déjà remarqué que les meilleurs journalistes savent très bien écouter? Prenez quelqu'un comme Barbara

Walters, par exemple. Elle regarde son interlocuteur, elle veille à bien le comprendre, elle suspend son jugement, et elle résume ses propos. Les gens lui font confiance et semblent prêts à lui dire à peu près tout. Mais elle se sert d'une autre stratégie qui l'aide à obtenir plus d'informations et à mieux comprendre la personne qu'elle interviewe. Elle pose de bonnes questions.

Pour avoir une écoute efficace, devenez un bon journaliste – pas du genre à braquer le micro sous le nez de la personne interviewée et à aboyer des questions, mais quelqu'un qui pose gentiment des questions complémentaires et cherche à clarifier les choses. Si vous montrez aux gens combien ils vous intéressent et que vous leur posez des questions d'une façon non menaçante, vous serez étonné de tout ce qu'ils vous diront.

### *9. Accordez toujours la priorité à l'écoute*

La dernière chose à retenir quand on cherche à développer sa capacité d'écoute, c'est que l'écoute doit devenir prioritaire, peu importe que vous soyez très occupé ou que votre poste au sein de votre organisation soit de plus en plus élevé. Le défunt Sam Walton, fondateur de Wal-Mart et un des hommes les plus riches des États-Unis, est un exemple remarquable de cadre occupé qui prenait le temps d'écouter. Il trouvait important d'écouter ce que les autres avaient à dire, en particulier ses employés. Un jour, il est parti en avion privé pour Mount Pleasant, au Texas, et il a demandé à son copilote de le déposer et de le retrouver environ 160 kilomètres plus loin. Puis, il a fait le trajet à bord d'un camion de Wal-Mart, juste pour pouvoir discuter avec le chauffeur. On devrait tous donner ce genre de priorité à l'écoute.

***Si vous montrez aux gens combien ils vous intéressent et que vous les interrogez d'une façon non menaçante, vous serez étonné de tout ce qu'ils vous diront.***

Beaucoup de gens tiennent la capacité d'écoute pour acquise. La plupart considèrent qu'il est facile d'écouter et estiment savoir bien le faire. Mais s'il est vrai que la plupart sont capables d'entendre, plus rares sont ceux qui savent vraiment écouter.

Dans nos carrières respectives, nous avons donné beaucoup de conférences. À nous deux, nous parlons devant plusieurs centaines de milliers de personnes par année. Nancy aussi en donne beaucoup et, croyez-nous, elle est excellente! Mais elle sait également écouter à merveille et elle parle parfois de la communication et de l'importance de l'écoute. Elle a donné récemment une conférence sur l'écoute où elle a insisté sur le fait d'accorder aux autres le bénéfice du doute et d'essayer de voir les choses de leur point de vue.

Il y avait ce jour-là dans l'assistance un homme appelé Rodney. Heureux en mariage et père d'un petit garçon, il avait deux filles d'un premier mariage et son ex-femme lui causait des problèmes. Elle lui téléphonait sans arrêt et réclamait toujours plus d'argent pour elle et pour ses filles. Ils se querellaient sans cesse et elle l'avait tellement poussé à bout qu'il avait déjà pris un avocat et s'apprêtait à entamer des poursuites contre elle.

Mais quand Rodney a entendu Nancy parler de l'écoute ce jour-là, il a réalisé combien il avait été insensible à l'égard de Charlotte, son ex-femme. Quelques jours plus tard, il lui a téléphoné pour lui demander de la rencontrer. Charlotte se méfiait de lui et elle a même demandé à son avocat de l'appeler pour trouver ce qu'il avait derrière la tête. Mais finalement, Rodney les a convaincus qu'il voulait simplement discuter et elle a fini par accepter de le rencontrer.

Ils se sont retrouvés autour d'une tasse de café. «Charlotte, je veux t'écouter», lui a dit Rodney. «Dis-moi comment tu vis. Vous êtes importantes pour moi, les filles et toi.

– Je croyais que tu ne t'intéressais pas du tout à nous», répondit-elle en fondant en larmes.

– Mais si! Je suis désolé. Je ne pensais qu'à moi et je ne me souciais pas assez de toi. Je te demande de me pardonner.

– Pourquoi fais-tu ça?

– Car je veux rectifier la situation. J'étais en colère depuis si longtemps que je n'arrivais plus à voir clair. Maintenant, raconte-moi comment ça se passe pour les filles et toi.»

Charlotte a sangloté un bon moment sans pouvoir s'arrêter. Puis elle s'est mise à lui parler de ses difficultés de mère seule et à lui expliquer comment elle essayait de faire de son mieux pour élever leurs filles, sans que cela ne semble jamais suffisant. Ils ont parlé pendant des heures, et cet échange a commencé à créer de nouvelles assises pour un respect mutuel. Ils croient qu'avec le temps, ils pourront à nouveau devenir amis.

Le cas de Rodney n'est sans doute pas unique. Pouvez-vous trouver quelqu'un que vous n'avez pas écouté récemment? Qu'allez-vous faire à propos de cette situation? Il n'est jamais trop tard pour devenir quelqu'un qui écoute bien. Cela peut changer votre vie – et la vie de ceux qui vous entourent.

Liste de contrôle de votre influence

## ÊTRE À L'ÉCOUTE DES AUTRES

❑ **Mesurez votre capacité d'écoute**. Demandez à quelqu'un qui vous connaît bien de répondre aux questions suivantes pour évaluer votre capacité d'écoute en fonction des neuf qualités abordées dans le présent chapitre. Demandez-lui de vous expliquer chaque réponse négative. Ne l'interrompez pas et ne vous défendez pas quand il vous donne des explications.

1. Ai-je l'habitude de regarder mon interlocuteur pendant qu'il me parle?
2. Est-ce que j'attends qu'il ait fini de parler avant de réagir?
3. Ai-je pour objectif de comprendre?
4. Suis-je habituellement sensible au besoin immédiat de mon interlocuteur?
5. Ai-je pris l'habitude de surveiller mes émotions?
6. Est-ce que je suspends régulièrement mon jugement tant que je n'ai pas entendu toute l'histoire?
7. Ai-je pris l'habitude de résumer de temps à autre les propos de mon interlocuteur?
8. Est-ce qu'au besoin je cherche à clarifier en posant des questions?
9. Est-ce que je communique aux autres que l'écoute est prioritaire pour moi?

❑ **Stratégies pour vous améliorer**. En vous basant sur les explications reçues, listez trois moyens d'améliorer votre capacité d'écoute:

1. ____________________
2. ____________________
3. ____________________

Engagez-vous à mettre ces moyens en œuvre pendant les semaines à venir.

❑ **Donnez-vous une occasion d'écouter**. Cette semaine, donnez rendez-vous à la personne qui compte le plus dans votre vie, et prévoyez passer une heure avec elle, juste pour communiquer. Accordez-lui toute votre attention et passez au moins les deux tiers du temps à l'écouter tout simplement.

Chapitre 5

## *Une personne d'influence*

# COMPREND LES AUTRES

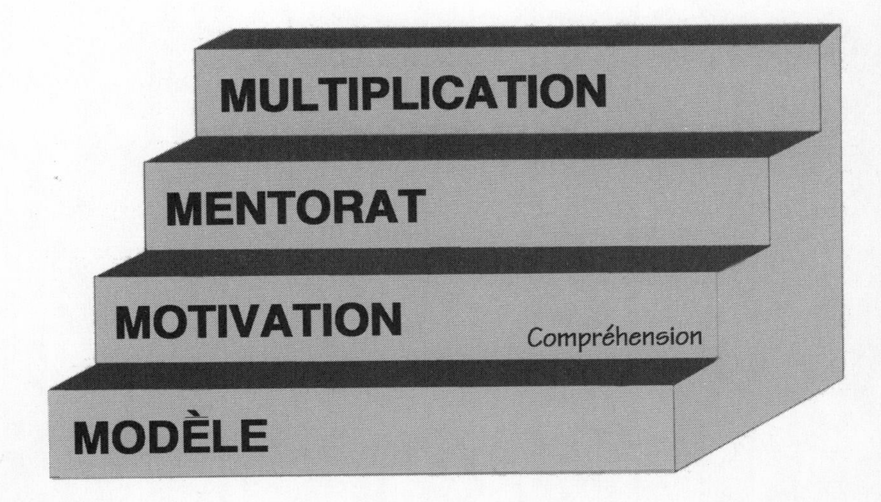

L'autre soir, au cours d'une conversation après dîner, nous avons commencé tous deux à explorer quelques questions. Comment met-on une organisation sur pied? De quoi a-t-on besoin? Quelle est la clé pour réussir? Qu'a-t-il fallu à quelqu'un comme Jim, par exemple, pour bâtir une société commerciale active dans 26 pays, qui a un impact et joue un rôle positif dans la vie de centaines de milliers de gens? Ou dans le cas de John, qu'a-t-il fallu pour tripler l'envergure de son ministère – devenu ainsi le plus important de sa confession – tout en faisant passer du coup le budget de 800 000 dollars à plus de 5 millions, et la contribution active de bénévoles de 112 personnes à plus de 1 800?

Peu importe que votre travail consiste à créer des logiciels informatiques, à vendre des livres, à servir des repas dans un restaurant, à construire des maisons, ou à concevoir des avions. La clé du succès, c'est de comprendre les gens. Jim raconte ceci:

> Je ne suis pas comme John, je n'ai pas grandi avec une inclination naturelle pour les gens. Il a suivi les cours de Dale Carnegie pendant qu'il était encore au secondaire et il est allé au collège en sachant qu'il travaillerait auprès des gens. Moi, je suis allé à l'université Purdue où j'ai étudié en génie aéronautique. À la fin de mon baccalauréat, je croyais que les deux clés de la réussite professionnelle étaient un travail soutenu et des aptitudes techniques. La valeur des compétences en matière de relations personnelles ne m'était jamais venue à l'esprit.
>
> Quand j'ai commencé dans mon premier emploi, j'étais prêt à travailler et rempli de connaissances techniques. L'université Purdue m'avait donné une excellente formation et j'avais toujours cru aux vertus du travail soutenu. Mais je n'ai pas tardé à réaliser que, pour avoir du succès en affaires, il faut être capable de travailler avec les gens. En fait, la vie tout entière repose sur les rapports humains. Je me suis aperçu que c'était vrai non seulement au niveau professionnel, comme ingénieur, consultant

ou entrepreneur, mais aussi dans chaque domaine de la vie, que ce soit dans mon interaction avec les membres de ma famille, dans mon travail avec un des enseignants de mes enfants ou lors de rencontres avec mes amis.

Si vous êtes incapable de comprendre les gens et de travailler avec eux, vous ne pouvez rien accomplir. Et il vous sera assurément impossible de devenir une personne d'influence.

## COMPRENDRE LES GENS RAPPORTE BEAUCOUP

Dans *Climbing the Executive Ladder*, les auteurs Kienzle et Dare affirment: «Peu de choses vous rapporteront autant que le temps et les efforts que vous mettez à comprendre les gens. À peu près rien n'ajoutera autant à votre réputation comme cadre et comme individu. Rien ne vous apportera autant de satisfaction et de joie.»

***«Quand on comprend le point de vue de l'autre, ce qu'il essaie de faire, neuf fois sur dix, on s'aperçoit qu'il essaie de bien faire.»***
*Harry Truman*

La capacité de comprendre les gens est un des meilleurs atouts qu'on puisse jamais posséder. Elle peut jouer un rôle positif dans tous les domaines de votre vie, et pas seulement dans l'arène des affaires. Considérez, par exemple, comment cette capacité de compréhension a aidé la mère d'un enfant d'âge préscolaire. Voici ce qu'elle raconte:

> «J'étais sortie pour mettre quelque chose à la poubelle en laissant mon fils de quatre ans à l'intérieur de la maison. Quand j'ai voulu rentrer, la porte était fermée à clé. Je savais que si j'insistais pour que mon fils ouvre la porte, il s'ensuivrait une lutte interminable pour le convaincre. Alors, j'ai dit d'une voix triste: "Oh, c'est trop bête, tu t'es enfermé à l'intérieur de la maison." Il a immédiatement ouvert la porte.»

Comprendre autrui a un impact certain sur la capacité de communiquer avec les gens. David Burns, médecin et professeur de psychiatrie à l'université de Pennsylvanie, notait: «La plus grande erreur qu'on peut faire quand on veut convaincre quelqu'un, c'est de chercher avant tout à exprimer ses idées et ses sentiments. Ce que la plupart des gens désirent vraiment, c'est d'être écoutés, respectés et compris. Dès qu'ils s'aperçoivent qu'ils sont compris, ils ont davantage envie de comprendre votre point de vue.» Si vous apprenez à comprendre les gens – leur façon de penser, leurs sentiments, leurs motivations et leur façon probable d'agir et de réagir dans une situation donnée – alors, vous pourrez les motiver et les influencer de façon positive.

## POURQUOI ON N'ARRIVE PAS À COMPRENDRE AUTRUI

Le manque de compréhension est fréquemment une source de tension dans notre société. Nous avons un jour entendu un avocat dire: «La moitié de tous les différends et les conflits ne sont pas attribuables à des différences d'opinion ou à l'incapacité de se mettre d'accord, mais au manque de compréhension entre les deux parties.» Si on pouvait réduire l'incompréhension, il y aurait beaucoup moins de monde devant les tribunaux. Les crimes violents seraient moins nombreux, le pourcentage de divorce baisserait et le stress quotidien que vivent la plupart des gens diminuerait considérablement.

Si la compréhension est un si grand atout, pourquoi n'y a-t-il pas plus de gens à la mettre en pratique? Pour de nombreuses raisons:

### *La peur*

William Penn, un Anglais du XVII^e^ siècle qui a fondé une colonie en Amérique du Nord, donnait le conseil suivant: «Il ne faut jamais mépriser ce qu'on ne comprend pas ni s'y opposer.» Cependant, beaucoup de gens semblent faire exactement le contraire. Quand ils ne comprennent pas les autres, ils réagissent souvent par la peur. Et, une fois qu'ils commencent à avoir peur des autres, ils tentent rarement de surmonter cette peur pour en apprendre davantage sur eux. Cela devient le début d'un cercle vicieux.

Malheureusement, la peur est manifeste au travail, dans les réactions des employés face à leurs leaders. Les travailleurs craignent les cadres. Les cadres moyens sont intimidés par les cadres supérieurs. Et les deux groupes craignent parfois la haute direction. Une telle situation engendre des soupçons non fondés, un manque de communication et une baisse de productivité. Par exemple, selon le docteur M. Michael Markowich, vice-président aux ressources humaines de United Hospitals, Inc., les employés sont peu enclins à suggérer des idées à cause de certaines raisons comme:

- Ils pensent qu'elles seront rejetées.
- Ils ont l'impression que leurs collègues n'apprécieront pas leurs idées.
- Ils croient que si leurs idées fonctionnent, on ne reconnaîtra pas leur mérite.
- Ils craignent que le patron se sente menacé.
- Ils se demandent avec inquiétude s'ils ne seront pas catalogués comme des fauteurs de troubles.
- Ils ont peur de perdre leur emploi si leurs idées ne fonctionnent pas.[1]

La peur est le point commun à toutes ces raisons. Pourtant, dans un milieu de travail sain, si vous donnez aux autres le bénéfice du doute et remplacez la peur par la compréhension, tout le monde peut travailler ensemble de façon positive. Il suffit pour cela de suivre le conseil du président Harry Truman: «Quand on comprend le point de vue de l'autre – quand on comprend ce qu'il essaie de faire – neuf fois sur dix, on s'aperçoit qu'il essaie de bien faire.»

---

1. M. Michael Markowich, *Management Review*, cité dans *Behavorial Sciences Newsletter*.

### *L'égocentrisme*

Là où il n'y a pas de peur pour empêcher la compréhension, c'est souvent l'égocentrisme qui fait obstacle. Quelqu'un notait: «Chaque question comporte toujours deux versions – tant qu'elle ne nous concerne pas personnellement.» C'est une façon de penser beaucoup trop courante. L'égocentrisme n'est pas toujours délibéré; c'est simplement dans la nature humaine de penser d'abord à son propre intérêt. Si vous voulez en avoir un exemple, jouez avec un enfant de deux ans. Il choisit naturellement les meilleurs jouets et insiste pour jouer à sa façon.

Essayer de voir les choses en nous plaçant du point de vue de l'autre est un moyen de surmonter notre égocentrisme naturel. En s'adressant à un groupe de professionnels de la vente, Art Mortel leur faisait part de son expérience: «Chaque fois que je suis en train de perdre aux échecs, je me lève, je me mets derrière mon adversaire, puis je regarde l'échiquier vu de son côté. Je commence alors à découvrir les erreurs stupides que j'ai commises parce que je peux voir le jeu à partir de son point de vue. Le défi du professionnel de la vente, c'est de voir le monde du point de vue de son acheteur éventuel.»[1]

On doit tous relever ce défi, quelle que soit notre profession. Il existe une citation intitulée «Cours abrégé de relations humaines» que John a mis dans ses archives, il y a plusieurs années. Vous l'avez peut-être déjà entendue car elle circule depuis un bon moment. Elle nous rappelle quelles devraient être nos priorités dans nos relations avec autrui:

Le pronom personnel le moins important: «Je».
Le pronom personnel le plus important: «Nous».
Les deux mots les plus importants: «Merci beaucoup».
Les trois mots les plus importants: «Tout est pardonné».
Les quatre mots les plus importants: «Quelle est votre opinion?»
Les cinq mots les plus importants: «Bravo pour votre bon travail!»

1. Art Mortell, «How To Master the Inner Game of Selling», vol. 10, nº 7.

Les six mots les plus importants: «Je veux vous comprendre beaucoup mieux.»

Pour que votre attitude passe de l'égocentrisme à la compréhension, il faut avoir envie d'essayer de voir les choses du point de vue de l'autre et vous engager à toujours le faire.

### *Le manque d'appréciation des différences*

Logiquement, l'étape qui vient après le dépassement de l'égocentrisme, c'est d'apprendre à reconnaître et à respecter chacun pour ses qualités uniques. Au lieu d'essayer de modeler les autres à votre image, apprenez à apprécier leurs différences. Si quelqu'un possède un talent que vous n'avez pas, c'est merveilleux! Chacun de vous peut pallier les faiblesses de l'autre. Si des gens proviennent d'une culture différente, élargissez votre horizon et apprenez d'eux tout ce que vous pouvez apprendre. Vos nouvelles connaissances vous aideront à créer des liens non seulement avec eux, mais aussi avec d'autres.

Réjouissez-vous des différences de tempérament. La variété crée une dynamique intéressante entre les gens. John, par exemple, est de tempérament sanguin et colérique, ce qui veut dire qu'il adore avoir du plaisir et prendre des décisions en un clin d'œil. Par contre, Jim est mélancolique et flegmatique. C'est un grand penseur et il excelle dans le traitement de l'information. Quand il doit prendre une décision, il réunit le plus de données possible pour faire des choix avisés. Chacun de notre côté, nous nous débrouillons bien. Mais ensemble, nous sommes encore plus efficaces.

Quand on a appris à apprécier les différences, on finit par réaliser qu'il existe beaucoup de façons de réagir au leadership et à la motivation. Joseph Beck, le président de Kenley Corporation, a reconnu cette vérité quand il a dit que pour influencer, il «fallait réaliser que des gens différents sont motivés de façons différentes.» Un bon entraîneur de basketball sait, par exemple, quand un joueur a besoin d'encouragements pour exceller ou quand il a besoin d'un «coup de pied dans le derrière». La grande différence, c'est que tous les joueurs ont besoin d'encouragements, alors que seulement quelques-uns ont besoin d'un «coup de pied dans le derrière».

### *Le manque d'appréciation des ressemblances*

Plus vous approfondissez votre connaissance de la nature humaine et vous apprenez à bien connaître les gens, plus vous ne tardez pas à réaliser que nous avons beaucoup de choses en commun. Nous sommes tous dotés d'espoirs et de craintes, de joies et de peines, de victoires et de problèmes. L'adolescence est sans doute l'époque de la vie où on est le moins capable de reconnaître ce qu'on a en commun avec les autres. On a trouvé une histoire qui l'illustre bien:

> Une adolescente est en train de parler de tous ses problèmes à son père. Elle lui raconte la terrible pression que lui font subir ses pairs, ses conflits avec ses amies, ses ennuis avec ses professeurs et ses travaux scolaires. Pour essayer de l'aider à relativiser les choses, son père lui explique que la vie n'est pas si noire qu'elle peut le sembler et, qu'en fait, la plupart de ses soucis sont probablement inutiles.
>
> «C'est facile pour toi de dire ça, papa. Tu as déjà fini de régler tous tes problèmes.»

On a tous une réaction émotive face à ce qui se passe autour de nous. Pour améliorer la compréhension mutuelle, demandez-vous quels seraient *vos* sentiments si vous vous retrouviez à la place de celui avec qui vous êtes en interaction. Vous savez ce que vous aimeriez voir arriver dans une situation donnée. Il y a de fortes chances pour que l'autre personne éprouve en grande partie les mêmes sentiments.

Nous avons trouvé un exemple merveilleux pour illustrer ce genre d'approche. Dans une confiserie où on vendait des chocolats exotiques uniquement au kilo, les clients faisaient toujours la queue devant la même vendeuse, alors que les autres employées n'avaient rien à faire. Ayant remarqué que la clientèle affluait toujours vers cette vendeuse, le propriétaire du magasin finit par lui demander son secret.

«C'est simple», répondit-elle. «Les autres filles mettent toujours un peu plus d'un kilo de chocolats, puis elles en enlèvent. Moi, j'en mets toujours un peu moins, puis j'en rajoute. Les clients ont l'impression que je m'occupe bien d'eux et que je leur en donne pour leur argent.»

## CE QU'IL FAUT COMPRENDRE À PROPOS DES GENS

Si vous connaissez les besoins et les désirs des gens, vous serez capable de les comprendre. Et si vous pouvez les comprendre, vous serez en mesure de les influencer et d'avoir un impact positif sur leur vie. Si nous épurons tout ce que nous savons de la nature humaine pour en faire une brève synthèse, voici les cinq concepts à retenir:

### *1. On veut tous être quelqu'un*

Il n'existe pas une seule personne au monde qui n'ait le désir d'être quelqu'un, d'avoir de l'importance. Même les gens les moins ambitieux et les plus modestes veulent avoir la considération des autres.

John se rappelle la première fois qu'il a été bouleversé par un tel sentiment. Il était alors en quatrième année:

> J'avais neuf ans quand j'ai assisté pour la première fois à un match de basket-ball. Je m'y revois encore comme si c'était hier. J'étais assis avec mes copains au balcon du gymnase. Ce n'est pas le match qui m'est le plus resté en mémoire, mais la façon dont on a présenté les joueurs des deux équipes. On a éteint toutes les lumières, puis allumé les projecteurs. L'annonceur a appelé chacun des joueurs partants et ils sont venus en courant se placer au milieu du terrain l'un après l'autre pendant que la foule les acclamait.
>
> Je me suis agrippé à la balustrade du balcon comme le petit garçon de quatrième année que j'étais et j'ai pensé: «Sensass! J'aimerais que ça m'arrive à moi.» En fait, une fois la présentation terminée, je me suis tourné vers mon copain Bobby Wilson et je lui ai dit: «Bobby, quand je serai en secondaire on va annoncer mon nom au micro et je vais courir dans la lumière

des projecteurs au milieu de ce terrain de basket-ball, et la foule va m'acclamer car je vais devenir quelqu'un.»

En rentrant à la maison ce soir-là, j'ai annoncé à mon père que je voulais être basketteur. Peu après, il m'a acheté un ballon de basket et nous avons posé un panier sur le mur du garage. J'ai pris l'habitude de déneiger l'allée pour jouer au basket et m'exercer aux lancers francs, car je rêvais de devenir quelqu'un.

C'est curieux comme ce genre de rêve peut avoir un impact sur votre vie. Je me souviens des matchs de basket entre élèves quand j'étais en sixième année. Comme notre équipe en avait gagné plusieurs, nous sommes allés jouer au gymnase de la rue Old Mill à Circleville, en Ohio, là où j'avais vu mon premier match de basket quand j'étais en quatrième année. À notre arrivée, au lieu d'aller me réchauffer sur le terrain avec le reste de l'équipe, je me suis dirigé vers le banc où se tenaient les basketteurs du secondaire, deux ans auparavant. Je me suis assis exactement là où ils étaient et j'ai fermé les yeux (comme si on éteignait les lumières du gymnase). Puis, dans ma tête, j'ai entendu annoncer mon nom et je me suis rué au centre du terrain.

Je me suis senti tellement bien en entendant les applaudissements imaginaires que j'ai pensé: *Je vais refaire ça encore une fois!* C'est ce que j'ai fait. En fait, j'ai recommencé trois fois quand j'ai soudain réalisé que mes copains ne jouaient plus au basket, ils me regardaient tout simplement d'un air incrédule. Mais cela m'était égal parce que je m'étais rapproché d'un pas de la personne que je rêvais de devenir.

On désire tous être estimés et valorisés par les gens. En d'autres mots, on veut tous être quelqu'un. Si vous gardez cela à l'esprit, vous comprendrez beaucoup mieux les motifs qui poussent les gens à faire ce qu'ils font. Et quand vous traitez chaque personne que vous rencontrez comme si elle était la plus importante au monde, vous lui transmettez qu'elle *est* quelqu'un pour vous.

### 2. L'autre s'intéressera à tout ce que vous savez seulement quand il saura combien vous vous intéressez à lui

Pour avoir de l'influence, vous devez aimer les gens avant de vouloir les diriger. À partir du moment où ils savent que vous vous intéressez à eux et que vous vous souciez d'eux, leur façon de vous percevoir se modifie.

Il n'est pas toujours facile de montrer aux gens qu'on se soucie d'eux. Si vous devez aux autres vos moments les plus merveilleux et vos plus beaux souvenirs, il en est de même de vos moments les plus difficiles, les plus blessants et les plus tragiques. Les gens sont votre plus grand atout, mais aussi votre plus grand handicap. Le défi est de continuer à vous soucier d'eux quoi qu'il arrive.

Nous avons trouvé par hasard le texte suivant, intitulé «*Les commandements paradoxaux du leadership*».

> Les gens sont illogiques, insensés et égoïstes: aimez-les quand même.
>
> Si vous faites le bien, les gens vous accuseront de cacher des motifs égoïstes: faites le bien quand même.
>
> Si vous réussissez, cela vous vaudra des faux amis et des vrais ennemis: réussissez quand même.
>
> Le bien que vous faites aujourd'hui sera sans doute oublié demain: faites le bien quand même.
>
> L'honnêteté et la franchise vous rendent vulnérables: soyez franc et honnête quand même.
>
> L'homme qui a le plus d'envergure et les idées les plus extraordinaires peut être abattu par l'homme le plus minable et le moins intelligent: pensez quand même en grand.
>
> Les gens ménagent les perdants, mais ne suivent que les gagnants: luttez quand même pour quelques perdants.
>
> Ce que vous avez passé des années à bâtir peut être détruit du jour au lendemain: bâtissez quand même.
>
> Les gens ont vraiment besoin d'aide mais peuvent vous attaquer si vous les aidez: aidez-les quand même.
>
> Donnez le meilleur de vous-même, et vous prendrez une gifle en pleine figure: donnez quand même le meilleur de vous-même.
>
> S'il est possible de faire mieux, alors bien faire n'est pas suffisant.

Si vous voulez aider les gens et être capable de les influencer, continuez de sourire, de partager, de donner et de tendre l'autre joue. C'est ainsi qu'il faut traiter les gens. Soit dit en passant, vous ne savez jamais qui émergera parmi ceux qui gravitent dans votre sphère d'influence et qui fera une différence dans votre vie et dans celle des autres.

### *3. On a tous besoin de quelqu'un*

Contrairement à la croyance populaire, une personne qui ne doit sa réussite matérielle et sociale qu'à elle-même, cela n'existe pas. On a tous besoin d'amitié, d'encouragement et de soutien. Ce qu'on peut accomplir seul n'est presque rien comparé à ce qui est possible quand on travaille avec les autres. Et faire des choses avec d'autres gens tend à être une source de contentement. De plus, ceux qui font cavalier seul sont rarement heureux. Voici comment le roi Salomon de l'antique Israël vantait les mérites du travail en commun:

> «*Mieux vaut vivre à deux que seul,*
> *car ainsi le travail profite bien.*
> *En cas de chute, l'un relève l'autre;*
> *mais tant pis pour l'isolé qui tombe,*
> *sans personne pour le relever.*
> *Et si l'on couche à deux, la chaleur vient;*
> *mais seul, comment avoir chaud?*
> *Si un isolé se fait renverser,*
> *deux résistent, et le fil triple ne rompt pas vite.*»[1]

Ceux qui essaient de tout faire seuls s'attirent souvent des ennuis. Une des histoires les plus abracadabrantes à ce sujet provient de la déclaration qu'un maçon a fait parvenir à sa compagnie d'assurances après avoir été blessé sur un chantier. Il essayait de descendre un chargement de briques du dernier étage de l'immeuble sans demander d'aide. Voici sa déclaration d'accident:

> «Cela m'aurait pris trop de temps de descendre les briques à la main, j'ai donc décidé de les mettre dans un baril et de les descendre à l'aide d'une poulie que j'avais solidement fixée en haut de l'immeuble. Après avoir bien ancré la corde au sol, je suis monté en haut de l'immeuble où j'ai attaché solidement la

1. (L'Ecclésiaste 4, 9-12).

corde autour du baril chargé de briques et j'ai lancé la corde sur le trottoir. Puis je suis descendu détacher l'autre bout et je l'ai tenu solidement pour guider le baril dans sa descente. Mais comme je pèse seulement 63 kilos et que le baril en pesait 225, le poids m'a entraîné si vite que je n'ai pas eu le temps de penser à lâcher la corde. En arrivant entre le deuxième et le troisième étage, j'ai rencontré le baril qui descendait, ce qui explique les contusions et les lacérations sur le haut de mon corps.

«J'ai continué à tenir fermement la corde jusqu'à ce que j'arrive en haut, où ma main s'est coincée dans la poulie, ce qui explique ma fracture au pouce.

«Au même moment toutefois, le fond du baril a cédé en heurtant violemment le trottoir. Sans le poids des briques, le baril ne pesait plus qu'une vingtaine de kilos. C'est pourquoi, avec mes 63 kilos, j'ai commencé à redescendre à toute vitesse et j'ai rencontré au passage le baril qui remontait, ce qui explique ma fracture à la cheville.

«Légèrement ralenti, mais seulement un peu, j'ai continué à descendre et j'ai atterri sur le tas de briques, ce qui explique mon entorse vertébrale et ma fracture à la clavicule.

«C'est alors que j'ai perdu complètement la tête et j'ai lâché la corde. Le baril vide est venu s'écraser sur moi, ce qui explique mes blessures au crâne.

«Et, en ce qui concerne la dernière question de votre formulaire: "Que feriez-vous si une telle situation se représentait?", je vous prie de bien noter que j'ai fini d'essayer de faire mon travail tout seul.»

On a tous besoin de quelqu'un pour nous aider. Si vous êtes capable de comprendre cela, prêt à donner aux autres et à les aider, et que vous agissez toujours pour de bons motifs, leur vie et la vôtre peuvent changer.

### *4. On peut tous devenir quelqu'un si on a quelqu'un pour nous comprendre et croire en nous.*

Une fois que vous comprenez les gens et que vous croyez en eux, ils peuvent vraiment devenir quelqu'un. Pas besoin de faire de gros efforts pour aider les autres à se sentir importants. Des petits gestes anodins, faits délibérément au moment opportun, peuvent faire une grande différence, comme le montre l'histoire que raconte John:

> Pendant 14 ans, j'ai eu le privilège d'être le pasteur d'un très grand nombre de fidèles dans la région de San Diego où, chaque année, nous présentions un merveilleux spectacle de Noël. Nous avions l'habitude de le jouer 28 fois par an et environ 30 000 personnes le voyaient.
>
> Un groupe d'enfants participaient toujours au spectacle et une de mes séquences préférées, il y a quelques années, était celle où 300 enfants en costume d'ange chantaient avec des cierges à la main. Vers la fin du cantique, ils descendaient de la scène, remontaient les allées et sortaient par l'entrée principale de l'église.
>
> Pendant la première représentation, j'ai décidé de les attendre dans l'entrée. Ils ignoraient que je serais là, mais quand ils sont passés devant moi, je les ai applaudis et félicités en leur disant: «Les enfants, vous avez été sensationnels!» Ils furent surpris de me voir et heureux de recevoir des encouragements.
>
> À la deuxième représentation, j'ai refait la même chose. Et je pouvais voir, dès qu'ils commençaient à remonter les allées, qu'ils me cherchaient des yeux, espérant que je serais dans l'entrée pour les applaudir. À la troisième représentation de la soirée, au moment où ils tournaient pour s'engager dans les allées, ils avaient déjà le sourire aux lèvres. Et en arrivant dans l'entrée, ils m'ont tapé dans la main en signe de victoire, et ils y ont pris beaucoup de plaisir. Ils savaient que je croyais en eux, et cela leur donnait à tous le sentiment d'être quelqu'un.

Quand avez-vous pour la dernière fois fait quelque chose qui sortait de l'ordinaire pour permettre aux gens de se sentir spéciaux, d'éprouver le sentiment d'être quelqu'un. L'impact sur eux dépasse totalement ce qu'il vous a fallu consentir. Tous ceux que vous connaissez et rencontrez ont le potentiel d'être quelqu'un d'important dans la vie d'autrui. Ils ont seulement besoin que vous les encouragiez et les motiviez pour réaliser leur potentiel.

### *5. Quiconque aide quelqu'un influence beaucoup de monde*

La dernière chose qu'il vous reste à comprendre, c'est qu'en aidant une seule personne, vous jouez vraiment un rôle positif dans la vie de beaucoup d'autres. Ce que vous lui donnez déborde sur la vie de ceux qu'elle touche. L'influence a un effet multiplicateur par nature. Elle a même un impact sur vous parce qu'en aidant les autres pour les bons motifs, vous recevez toujours plus que vous ne pourrez jamais donner. La plupart des gens sont vraiment si reconnaissants envers celui qui leur a permis de se sentir quelqu'un de spécial qu'ils ne se lassent jamais de montrer leur gratitude.

## CHOISISSEZ DE COMPRENDRE LES AUTRES

En fin de compte, la capacité de comprendre autrui relève d'un choix. Il est vrai que certains sont dotés à leur naissance d'un très bon instinct et naturellement capables de comprendre les pensées et les sentiments d'autrui. Cependant, même si ce n'est pas votre cas, vous pouvez améliorer votre aptitude à travailler avec les autres. On peut tous acquérir la capacité de comprendre, de motiver et, finalement, d'influencer les autres.

Si vous voulez vraiment faire une différence dans la vie des gens, alors préparez-vous à...

### *Considérer le point de vue de l'autre*

Mark McCormack, l'auteur de *Tout ce que vous n'apprendrez jamais à Harvard*, a écrit une anecdote amusante pour le magazine *Entrepreneur*. Elle illustre combien il est important de considérer le point de vue d'autrui: «Il y a quelques années, j'étais en train de faire la queue au comptoir de vente des billets à l'aéroport. Devant moi, deux enfants se chamaillaient pour un cornet de glace et, devant eux, il y avait une femme en manteau de vison. Je pouvais voir qu'un malheur n'allait pas tarder à arriver et je me demandais si je devais intervenir. J'étais encore en train de m'interroger quand j'ai entendu la petite fille dire au garçon: «Si t'arrêtes pas, Charlie, tu vas ramasser plein de poils du manteau de la dame sur ta glace.»

La plupart des gens ne vont pas au-delà de leur propre expérience quand ils sont en relation avec autrui. Ils ont tendance à voir les autres personnes et les événements en fonction de leur propre point de vue, de leurs antécédents et des situations qu'ils ont connues. Par exemple, Pat McInally, des Bengals de Cincinnati, une équipe de la Fédération américaine de football, racontait: «À Harvard, j'avais l'étiquette du sportif. Les pros, eux, me considèrent comme un intellectuel.» Pourtant il était toujours le même, c'était la façon de le percevoir qui avait changé.

Chaque fois que vous vous mettrez à la place des autres, vous aurez l'occasion de voir la vie sous un autre jour. Et vous découvrirez de nouvelles façons d'aider autrui. Un extrait de *Zadig*, de Voltaire, illustre combien il est précieux de regarder les gens et les situations d'un œil nouveau.

Le roi d'un pays était peiné car son cheval favori avait disparu. Il envoya des officiers le chercher aux quatre coins du pays. Le roi au désespoir promit une grande récompense à qui le trouverait. Attiré par la récompense, beaucoup de gens partirent à sa recherche, mais sans succès. Le cheval était introuvable.

Un simple d'esprit demanda audience au roi pour lui dire qu'il pouvait trouver le cheval.

«Toi! s'exclama le roi. Tu peux trouver le cheval alors que tous les autres ont échoué?

– Oui, majesté», répondit le simple d'esprit.

– Alors, vas-y», lui dit le roi qui n'avait plus rien à perdre.

Quelques heures plus tard, à la grande surprise du roi, le cheval était de retour au palais. Il puisa immédiatement dans le Trésor pour verser une jolie récompense à l'homme et lui demanda de lui expliquer comment il avait réussi là où beaucoup d'hommes considérés avisés avaient échoué.

«C'est facile, majesté», répondit le simple d'esprit. «Je me suis simplement demandé: "Si j'étais un cheval, où est-ce que j'irais?" Et, en me mettant à sa place, je l'ai vite trouvé.»

### *Montrer de l'empathie*

C'est une autre qualité indispensable pour comprendre et aider autrui. Ce n'est pas toujours une qualité innée, comme l'illustre bien cette anecdote à propos d'un pasteur du Kansas. Apparemment, il rentrait d'un séjour en Nouvelle-Angleterre, et un des ses paroissiens était venu le chercher à la gare.

«Eh bien», demanda le pasteur, «comment ça va chez vous?

– Mal, très mal, monsieur le pasteur. Il y a eu un cyclone et ma maison a été balayée.

– Eh bien, je ne suis pas surpris», lui répondit sèchement le pasteur en fronçant les sourcils. Vous vous rappelez que je vous avais mis en garde contre votre façon de vivre. On est toujours puni pour ses péchés, c'est inévitable.

– La tornade a aussi détruit votre maison, monsieur le pasteur», ajouta le profane.

– Vraiment?» réagit le pasteur, un instant surpris. «Ah, les voies du Seigneur sont impénétrables pour l'esprit humain.»

N'attendez pas que votre maison soit emportée pour montrer de l'empathie envers les gens qui ont des ennuis et des imperfections. Allez à leur rencontre la main ferme mais le cœur tendre, et ils réagiront de façon positive à votre égard.

### *Adopter une attitude positive à l'égard d'autrui*

L'auteur Harper Lee écrivait: «En général, on voit ce qu'on cherche à voir et on entend ce qu'on cherche à entendre.» Si vous adoptez une attitude positive à l'égard des autres, que vous croyez à ce qu'ils ont de meilleur en eux et agissez conformément à vos convictions, vous pourrez alors avoir un impact positif sur leur vie. Mais cela commence avant tout par votre façon de les considérer. Vous ne pourrez pas exercer une influence positive avec une façon de penser semblable à celle qui suit:

Quand l'autre prend beaucoup de temps, il est lent.
Quand je prends beaucoup de temps, je suis consciencieux.

Quand l'autre ne le fait pas, il est paresseux.
Quand je ne le fais pas, je suis occupé.

Quand l'autre fait quelque chose sans qu'on le lui dise, il dépasse les bornes.
Quand c'est moi, je fais preuve d'initiative.

Quand l'autre n'observe pas une règle de l'étiquette, il est grossier.
Quand j'en laisse tomber quelques-unes, je suis original.

Quand l'autre fait plaisir au patron, c'est un lèche-botte.
Quand je fais plaisir au patron, c'est de la coopération.

Quand l'autre obtient de l'avancement, c'est une question de chance.
Quand je réussis à avoir de l'avancement, c'est simplement la récompense de mon travail soutenu.

Votre attitude à l'égard d'autrui est un des choix les plus importants de votre vie. Si vous êtes positif, vous pourrez vraiment avoir un impact sur la vie des gens. Le pasteur Robert H. Schuller, un grand adepte de la pensée positive, raconte l'histoire suivante dans *L'art de dominer son quotidien*:

«Je suis le plus grand joueur de baseball du monde», se vantait le petit garçon en se pavanant dans sa cour. Il posa la batte sur son épaule, envoya une balle en l'air, prit son élan et rata son coup. «Je suis encore le meilleur joueur de baseball», répéta-t-il. Il lança une nouvelle fois la balle, reprit son élan et rata encore son coup. Il s'arrêta un moment pour examiner sa batte, puis il ramassa la balle. «Je suis le meilleur joueur de baseball de tous les temps.» Il prit un élan d'une telle vigueur qu'il faillit tomber. Mais la balle tomba mollement à ses pieds. «Sensass! s'exclama le petit garçon. Quel lanceur!»[1]

Pour devenir une personne influente, vous devez adopter envers autrui une attitude similaire à celle de ce petit garçon à son propre égard.

1. Robert H. Schuller, *L'art de dominer son quotidien*, Éditions Sélect, 1982.

***Si vous traitez chaque personne que vous rencontrez comme si elle était la plus importante au monde, vous lui transmettez surtout qu'elle est quelqu'un pour vous.***

Jim s'est rappelé récemment combien il est important de comprendre les gens et de considérer les choses de leur point de vue en rendant visite à ses parents âgés, qui vivent dans l'État de New York:

> Mes parents sont presque nonagénaires, et ils ont travaillé fort toute leur vie. Mon père était chef des nouvelles locales pour la *Gazette* à Niagara Falls, et ma mère était infirmière-chef de nuit à l'hôpital Memorial de Niagara Falls. Pendant mon enfance, elle a travaillé de nombreuses années de 23 h à 7 h pour pouvoir me réveiller, me servir mon petit-déjeuner et préparer mon déjeuner à emporter avant que je parte pour l'école. Et elle était là chaque après-midi à mon retour de l'école. Je ne me rendais pratiquement pas compte qu'elle travaillait. Nous avons toujours vécu dans une petite maison. À leur retraite, mes parents l'ont vendue et ils ont emménagé dans un petit appartement pour vivre avec leurs modestes pensions.
>
> Comme la plupart des gens que la vie a bénis financièrement, Nancy et moi cherchons toujours des moyens d'aider nos parents et de les remercier pour tout ce qu'ils ont fait de positif pour nous au fil des ans. Récemment, nous avons décidé de leur louer un appartement de grande classe dans l'immeuble le plus prestigieux de la ville. Un appartement incroyable, avec même une vue imprenable sur les chutes Niagara.
>
> Mais environ six mois plus tard, mes parents ont demandé s'ils pouvaient déménager. La vue de ma mère avait tellement baissé qu'elle ne pouvait plus voir les chutes. D'un autre côté, mon père pouvait très bien les voir, mais il n'appréciait guère d'habiter si haut. Cela nous a déçus qu'ils n'aiment pas l'appartement, mais nous avons tout de suite accepté qu'ils retournent dans leur petit logement.
>
> J'avais toujours autant envie de les aider, alors un jour, après les avoir réinstallés dans leur appartement, j'ai emmené ma mère dans un magasin. Même si elle affirmait n'avoir besoin de rien, je l'ai persuadée de me laisser acheter quelques articles pour

elle: une nouvelle poubelle, un peu de vaisselle, une petite radio et un nouveau grille-pain – le vieux *propulsait* les tranches de pain grillées. Et cela m'a fait plaisir quand, par hasard, je l'ai entendu dire à un voisin en lui montrant le grille-pain: «Mon *fils* nous a offert ça!»

Nancy et moi avions voulu leur acheter des articles plus importants, mais ce n'était pas ce qui comptait pour eux. Ils étaient heureux avec un grille-pain. Ah si, il y a autre chose qu'ils ont fini par accepter: un petit arbre pour mettre en face de leur appartement. Ils pensaient qu'il serait agréable d'avoir un peu d'ombre quand ils iraient s'asseoir dehors en été. «Mais ça coûte si cher», m'a dit ma mère. «Prends-nous simplement un jeune arbre.»

Nous voulions qu'ils aient de l'ombre *maintenant*, pas dans 15 ans. Nous leur avons donc ramené le plus gros arbre que nous avons trouvé. Il ne fallait pas beaucoup d'argent pour les rendre heureux, seulement un peu de compréhension.

Cette leçon n'est pas à la portée de tout le monde. Beaucoup de gens essaient de faire passer leurs propres idées en premier – et ensuite, ils se demandent pourquoi ils n'ont pas d'influence sur qui que ce soit. Pour jouer un rôle positif dans la vie des autres, trouvez ce qu'ils veulent et aidez-les à l'obtenir. C'est ce qui les motive et vous donne la possibilité de devenir une personne d'influence dans leur existence.

Liste de contrôle de votre influence
**COMPRENDRE LES AUTRES**

❑ **Évaluez votre degré de compréhension**. Utilisez l'échelle suivante pour mesurer votre capacité à comprendre les gens (encerclez le degré qui s'applique à vous):

| | |
|---|---|
| Supérieure | Je peux presque toujours prévoir comment les gens vont se sentir et réagir dans une situation donnée. La compréhension d'autrui est l'une de mes plus grandes forces. |
| Bonne | La plupart du temps, les désirs et le comportement des gens ont un sens pour moi. Je considère que ma capacité à comprendre autrui est un atout. |
| Passable | Je suis surpris par les gens aussi souvent que je suis capable de prévoir leur façon de penser. Je considère que ma capacité à comprendre autrui se situe dans la moyenne. |
| Insuffisante | La plupart du temps, les sentiments et les motivations des gens demeurent un mystère pour moi. J'ai définitivement besoin de m'améliorer dans ce domaine. |

❑ **Stratégies pour améliorer la compréhension**. Si vous entrez dans la catégorie «supérieure», vous devriez partager votre talent en enseignant aux autres comment mieux comprendre les gens. Si vous vous êtes classé dans la catégorie «bonne», «passable» ou «insuffisante», continuez de chercher activement à apprendre et à vous améliorer. Vous pouvez immédiatement augmenter votre capacité de compréhension en vous posant les quatre questions suivantes chaque fois que vous rencontrez une nouvelle personne.

1. Qu'est-ce qui la motive?
2. Où veut-elle aller?
3. De quoi a-t-elle besoin en ce moment?
4. Comment puis-je l'aider?

❑ **Renforcez votre attitude positive**. Si votre degré de compréhension vous semble insuffisant, c'est peut-être que vous n'accordez pas autant de valeur aux gens que vous le pourriez. Dans vos relations avec autrui, rappelez-vous les paroles de Ken Keyes fils: «Celui qui aime vit dans un monde d'amour. Celui qui est hostile vit dans un monde hostile: chaque personne que vous rencontrez vous renvoie votre propre image.»

Chapitre 6

## *Une personne d'influence*

# FAVORISE LE DÉVELOPPEMENT D'AUTRUI

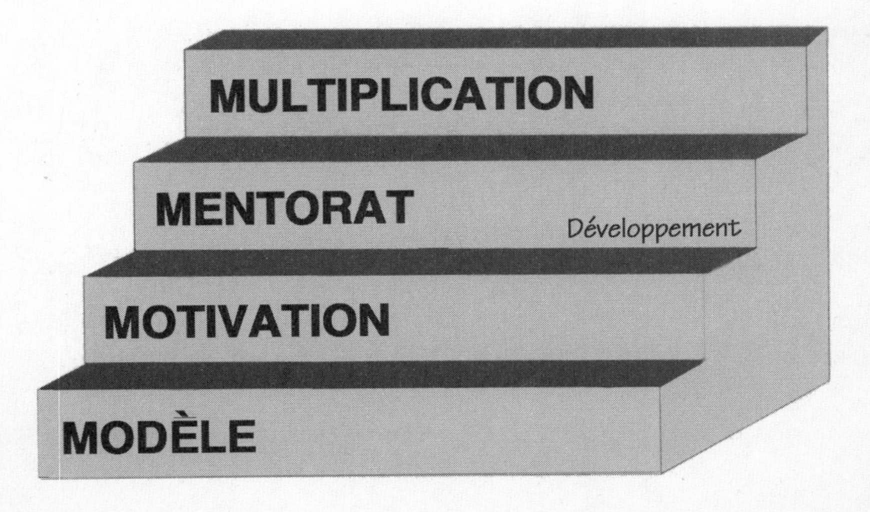

Une fois devenu un modèle d'intégrité et un motivateur accompli, vous être prêt à passer à l'étape suivante du processus pour devenir une personne d'influence dans la vie des gens. Jim va vous raconter une histoire pour illustrer cette étape:

> Au fil des années, Eric a subi plus d'une trentaine d'opérations distinctes au cerveau, mais il n'a jamais cessé d'avoir l'esprit vif et de déborder d'optimisme. Et son grand sens de l'humour nous amuse toujours.
>
> Pendant une de ses nombreuses opérations, il a été victime d'un accident vasculaire cérébral préopératoire qui a provoqué un abaissement du tonus musculaire limitant son usage de la main droite et une grave déviation de la colonne vertébrale. Quelques années plus tard, il a fallu le réopérer pour pratiquer une spondylodèse et implanter des tiges d'acier de la base de son cou jusqu'à son bassin. Durant sa longue convalescence, il est resté trois mois plâtré jusqu'à mi-corps et il a presque entièrement perdu un grand nombre des aptitudes préalablement acquises. Mais il a traversé tout cela avec l'attitude positive qui le caractérise.
>
> Après cette intervention à la colonne vertébrale, Nancy ne pouvait plus prendre soin d'Eric toute seule. Nous avons donc décidé de faire appel à une aide à domicile à plein temps qui pourrait le soulever, l'aider dans sa vie quotidienne et l'accompagner dans sa rééducation. Nous savions le genre de personne qu'il nous fallait engager, mais nous ignorions tout à fait comment et où la trouver.
>
> Un jour, Nancy en a parlé à une de nos relations appartenant au milieu médical, qui a mentionné un certain Fernando. Il semblait épatant. «C'est la personne idéale pour vous, nous a dit notre ami. Mais vous ne l'aurez jamais.»
>
> Nancy a répondu: «Donne-nous simplement son numéro de téléphone et laisse-nous nous occuper du reste.»
>
> Nous l'avons engagé quelques semaines plus tard, une vraie merveille. Fernando s'était occupé de rééducation à l'hôpital

Sharp et, même s'il n'avait que cinq ans de plus qu'Eric, il avait déjà dirigé un foyer pour enfants victimes de violence et travaillé dans le domaine de la réinsertion pendant sept ans. Eric et lui ont tout de suite sympathisé. Fernando apportait à Eric un mélange idéal d'aptitudes professionnelles et de camaraderie.

Il est difficile de décrire quel merveilleux cadeau Dieu nous a fait, à Eric et à notre famille, avec Fernando. Il s'est donné pour mission de favoriser le développement d'Eric et de l'aider à réaliser pleinement son potentiel. Fernando se tient au courant des nouvelles informations et des nouvelles techniques qui touchent son domaine et il cherche des moyens de faire vivre de nouvelles expériences à Eric et de l'inciter à progresser. Cela a entièrement changé la vie d'Eric. Depuis qu'ils sont ensemble, Eric fait bien davantage que skier tous les ans. Il a appris à faire du scooter des mers – je n'aurais jamais pu imaginer le voir filer à 65 kilomètres à l'heure sur l'eau, mais Fernando était convaincu qu'il en était capable, alors il l'a fait. Eric est aussi professeur particulier bénévole pour des élèves de deuxième année, il étudie l'allemand, travaille dans notre bureau deux jours par semaine, fait de la natation plusieurs jours par semaine et il vient de commencer à s'entraîner avec des poids. Il nous est difficile de nous rappeler ses limites physiques car il mène une vie bien remplie, riche en défis, et il progresse chaque jour.

Une des expériences les plus formidables depuis qu'il fait équipe avec Fernando est la pratique du *soccer* motorisé. C'est un nouveau sport qui se pratique en fauteuil roulant motorisé et se joue en équipe dans un gymnase, avec un gros ballon. Eric adore ça et préfère en général être gardien de but.

Tout récemment, Fernando l'a emmené participer à un tournoi de *soccer* motorisé à Vancouver, au Canada. Ce fut toute une expérience pour Eric. Ils ont pris l'avion ensemble, ils ont loué une voiture, pris une chambre d'hôtel et visité la ville – rien que tous les deux. Eric a adoré ça, tout particulièrement sa participation au tournoi de cinq jours où il a marqué deux buts. Et pour couronner le tout, son équipe a gagné la médaille d'or!

Nous n'avions jamais vu Eric aussi excité qu'à son retour du tournoi. Il a porté sa médaille d'or tout le long du voyage et je crois qu'il n'a pas touché terre pendant plusieurs jours. Depuis lors, sa confiance en soi s'est tellement renforcée qu'il est prêt à relever n'importe quel défi. Et tout cela est attribuable en grande partie à Fernando.

S'il n'avait pas cru en Eric et désiré élargir son horizon, rien de cela ne serait jamais arrivé.

Pour avoir de l'influence et un impact positif sur les gens, vous devez les accompagner et réellement intervenir dans leur vie. C'est ce qu'a fait et continue de faire Fernando avec Eric, le fils de Jim. Et c'est aussi ce que vous devez faire avec les gens pour qui vous voulez faire une différence. Faire preuve d'intégrité est la première étape importante car cela assure une assise solide aux relations avec autrui. L'étape qui suit tout naturellement, c'est motiver les gens. En prenant soin d'eux, en leur montrant que vous avez foi en eux, en étant à l'écoute de leurs espérances et de leurs craintes, et en montrant que vous les comprenez, vous nouez avec eux des liens relationnels très forts et vous les incitez à réussir – et à se laisser influencer par vous. Mais si vous voulez qu'ils soient *vraiment* capables de se développer, de s'améliorer et de réussir, vous devez franchir l'étape suivante avec eux et devenir leur mentor.

## LE SENS DU MENTORAT

Il est tragique de motiver les gens à se développer sans leur donner en même temps les *moyens* d'y parvenir. Mais le processus du mentorat leur offre l'occasion de réaliser leur potentiel et de concrétiser leurs rêves. Les mentors ont un impact éternel car on ne peut savoir où s'arrêtera leur influence.

William Gladstone, un homme d'État britannique du XIX$^{e}$ siècle affirmait: «L'homme avisé ne gaspille pas son énergie à poursuivre ce qui ne lui convient pas; et un homme encore plus avisé choisit résolument de faire, parmi les choses qu'il est capable de bien faire, ce qu'il peut faire de mieux.» La plupart des gens n'ont pas le talent naturel de repérer le domaine où ils ont le plus de potentiel. Il faut les y aider, en particulier au début du processus de croissance. Par conséquent, il est très important de devenir leur mentor. Vous devez leur servir de guide dans leur croissance personnelle et professionnelle, jusqu'à ce qu'ils soient capables de se débrouiller de façon plus autonome.

James M. Kouzes et Barry Z. Posner, auteurs de *Le Défi du leadership*, présentent une vision du leadership reliée au mentorat: «Les leaders sont des pionniers. Ils s'aventurent en territoire inexploré. Ils nous guident vers de nouvelles destinations souvent inconnues... L'unique raison d'avoir des leaders – la fonction qui les distingue – c'est de nous faire aller de l'avant. Les leaders nous amènent à aller plus loin.»

***Les mentors ont un impact éternel car on ne peut savoir où s'arrêtera leur influence.***

Les mentors qui ont du leadership mènent les gens vers leur propre croissance et leurs zones de force. Dans le présent chapitre et dans les trois suivants, nous nous attacherons à quatre façons d'accomplir la tâche de mentor: favoriser le développement des gens, les aider à naviguer contre vents et marées, créer des liens profonds avec eux et les investir d'empowerment pour qu'ils réalisent leur potentiel.

## FAVORISER LE DÉVELOPPEMENT D'AUTRUI EST UN INVESTISSEMENT

L'auteur Alan Loy McGinnis notait: «Il n'y a pas de plus noble tâche au monde que de soutenir un autre être humain, d'aider quelqu'un à réussir.» Aider les gens à se développer est une des choses les plus merveilleuses que vous pourrez jamais faire pour eux. Comme le dit John dans son livre *The Success Journey*, se développer pour réaliser son potentiel est une des trois composantes de la réussite (les deux autres étant de connaître son objectif de vie et de planter des germes pour le bénéfice d'autrui).

Robert Gross, ancien président de Lockheed Aircraft Corporation, expliquait un jour à ses cadres: «C'est une chose de fabriquer un produit, mais c'est autre chose de bâtir une entreprise car les entreprises ne sont rien d'autre que des gens, et ce qui sort des gens n'est pas meilleur que ce qu'ils sont eux-mêmes. Nous ne fabriquons pas des automobiles, des avions, des réfrigérateurs, des radios ou des lacets de chaussures. Nous bâtissons des hommes. *Les hommes fabriquent le produit.*»

Quand vous favorisez le développement d'autrui, les répercussions sont multiples:

### *Vous améliorez leur qualité de vie*

Selon Denis Waitley: «Les plus grandes réalisations sont celles qu'on entreprend pour le bénéfice d'autrui.» Chaque fois que vous aidez quelqu'un à se développer en quelque domaine que ce soit, il en récolte les fruits car vous lui permettez d'accéder à un niveau d'existence différent. À mesure que ses dons et ses talents s'épanouissent, qu'il acquiert de nouvelles aptitudes et améliore sa capacité à résoudre des problèmes, sa qualité de vie et son degré de satisfaction augmentent considérablement. Personne ne peut se développer sans que cela ne touche sa manière de vivre.

***En favorisant le développement des gens, vous saisissez l'occasion de les aider à réaliser leur potentiel.***

### *Vous augmentez leur chance de succès*

L'homme d'affaires George Crane prônait: «L'avenir ne réside aucunement dans l'emploi, mais dans la personne qui l'occupe.» En favorisant le développement des gens, vous embellissez leur avenir. En élargissant leur horizon, en améliorant leur attitude, en augmentant leurs aptitudes ou en apprenant de nouvelles façons de penser, les gens obtiennent de meilleurs résultats et ils vivent mieux, ce qui augmente leur potentiel.

### *Vous augmentez leur capacité de croissance*

Vous ne leur donnez pas seulement un coup de main ou des méthodes provisoires à court terme qui les aideront uniquement aujourd'hui; les bienfaits du développement s'inscrivent dans le long terme. Une fois que vous les aurez aidés dans leur développement, ils seront mieux outillés, plus aptes à apprendre, à se développer eux-mêmes et à utiliser à bon escient les ressources ou les occasions qui se présenteront à eux. Et l'effet multiplicateur de leur croissance commencera à se faire sentir.

### *Vous augmentez le potentiel de votre équipe*

Si les gens dont vous favorisez le développement appartiennent à un groupe – peu importe que ce soit dans le monde des affaires, dans une paroisse, une équipe sportive ou un club, alors tout le groupe récoltera les fruits de leur croissance. Si, par exemple, un grand nombre de membres de votre organisation progressent individuellement, ne serait-ce qu'un tout petit peu, l'organisation tout entière gagnera en qualité. Si quelques-uns s'améliorent beaucoup, le potentiel de croissance et de succès augmentera à cause de leur leadership accru. Et si, grâce à votre soutien, les deux types de croissance se produisent, accrochez-vous, car votre organisation va bientôt décoller!

Fred Smith, un ami de John, excelle en qualité de leader, entrepreneur et conseiller en affaires. Fred donnait des conseils à 20 jeunes P.D.G. et les rencontrait mensuellement depuis trois ans quand il a décidé de les laisser voler de leurs propres ailes. Il les a donc avertis qu'il ne viendrait plus les voir pendant un bon moment. Ils ont continué à se réunir sans lui, mais ils ont fini par lui demander de venir leur rendre visite. À son arrivée, ils l'ont accueilli avec un cristal de Baccarat sur lequel était gravé *Il nous a permis de nous dépasser.*

Fred a permis aux gens de se dépasser et de se développer pendant des décennies car il a réalisé la valeur que cela donnait non seulement aux personnes concernées, mais aussi à tous ceux qu'elles influençaient. La plupart des gens sont drôles: ils veulent aller de l'avant et réussir, mais ils résistent au changement. Ils sont souvent prêts à se développer juste assez pour résoudre leurs *problèmes*, alors que leur objectif devrait être de se développer suffisamment pour réaliser leur *potentiel*. C'est pourquoi ils ont besoin de votre aide. Les auteurs Helen Schucman et William Thetford disaient fort à propos: «Toute situation bien perçue se transforme en bonne occasion.» En favorisant le développement des gens, vous saisissez l'occasion de les aider à réaliser leur potentiel.

Michel Eyquem de Montaigne, l'essayiste français, a écrit: «L'utilité de vivre n'est pas dans l'espace, elle est dans l'usage: tel a vécu longtemps qui a peu vécu.» En favorisant le développement des gens, vous les aidez à utiliser leur temps au maximum et à améliorer la qualité de leur existence.

## APPRENEZ À FAVORISER LE DÉVELOPPEMENT D'AUTRUI

Il ne suffit pas d'en avoir envie pour être prêt à le faire. Beaucoup de gens doivent d'abord travailler sur eux-mêmes. Dans la plupart des cas, il faut commencer par s'améliorer soi-même avant de pouvoir en faire davantage pour les autres. Cela n'a jamais été aussi vrai que dans le domaine du mentorat. Vous pouvez enseigner ce que vous savez, mais reproduire uniquement ce que vous êtes.

Warren Bennis et Bert Nanus, des spécialistes en leadership, ont dit à ce sujet: «C'est la capacité d'acquérir et d'améliorer leurs aptitudes qui distinguent les leaders de ceux qui les suivent.» Pour vous préparer à favoriser le développement d'autrui, votre première tâche est de vous développer et de vous améliorer vous-même, car c'est absolument indispensable pour pouvoir aider les autres à en faire autant. Tout comme les gens ne suivront pas quelqu'un qui n'a pas plus de leadership qu'eux, ils n'apprendront pas à se développer avec quelqu'un qui ne s'occupe pas de sa propre croissance. Non seulement devez-vous avoir atteint un haut niveau de croissance personnelle, mais vous devez continuer à progresser sans cesse. (Vous pouvez probablement vous rappeler le peu de respect que vous accordiez aux professeurs de secondaire ou de collège qui avaient manifestement cessé d'apprendre et de progresser depuis des dizaines d'années, sans doute depuis qu'ils avaient obtenu leur diplôme d'enseignant)!

Selon Albert Schweitzer: «Le grand secret du succès, c'est de vivre comme un homme qui ne s'épuise jamais.» Quand vous vous donnez pour objectif d'apprendre sans cesse et de vous développer, vous devenez quelqu'un qui ne «s'épuise» jamais. Vous êtes toujours en train de recharger vos batteries et de trouver de meilleurs moyens de faire les choses. Pour savoir si vous êtes toujours en croissance, demandez-vous ce que vous attendez avec impatience. Si rien ne vous vient à l'esprit ou si vous êtes obligé de chercher dans le passé plutôt que dans l'avenir, votre croissance est peut-être au point mort.

Quelqu'un a déjà dit: «Le plus grand obstacle à la découverte n'est pas l'ignorance, mais l'illusion du savoir.» Beaucoup de gens perdent de vue l'importance du développement personnel une fois leur scolarité terminée. Évitez que cela vous arrive. Dès aujourd'hui, faites-en une de vos plus grandes priorités. Vous n'avez pas de temps à perdre. Comme le disait l'écrivain et penseur écossais Thomas Carlyle: «Une seule vie; une poussière d'existence entre deux éternités; jamais plus de seconde chance pour nous.» Chaque jour sans développement personnel est une occasion perdue de vous améliorer et de favoriser le développement d'autrui.

## CHOISISSEZ AVEC SOIN LES PERSONNES DONT VOUS VOULEZ FAVORISER LE DÉVELOPPEMENT

Une fois que vous avez assuré en partie votre développement personnel et que vous êtes prêt à aider les autres à se développer, vous devez réfléchir aux gens avec qui vous allez choisir de travailler. Il vous faut savoir choisir avec discernement. Vous devriez essayer d'être un modèle d'intégrité pour tous – qu'il s'agisse de vos proches ou de purs étrangers – et vous donner pour objectif de motiver tous ceux avec qui vous êtes en relation – les membres de votre famille, vos employés, les bénévoles de votre paroisse, vos collègues et vos amis. Mais vous n'aurez jamais le temps de vous consacrer au développement de tous, c'est beaucoup trop prenant. Par conséquent, il vous faut d'abord travailler avec les personnes de votre entourage les plus prometteuses, celles que vous estimez les plus réceptives en matière de développement personnel.

Dans *Killers of the Dream*, Lillian Smith écrivait: «Aux États-Unis – et partout dans le monde – on est tombé dans le piège du mot «égalité», qui est inapplicable au «genre» humain. J'aimerais qu'on oublie ce mot, qu'on cesse de l'employer dans notre pays: laissons cela aux communistes. Il ne convient pas à ceux qui lancent leurs rêves à la conquête des cieux, il sert seulement à niveler l'humanité par le bas.» Bien sûr, on désire que tous les gens aient leur chance et soient égaux face à la justice, mais on sait que chacun ne réagit pas de la même façon face à son environnement ou aux chances qui lui sont offertes. C'est également vrai pour ceux que vous aurez l'occasion d'aider. Certains ont très envie de se développer. D'autres ne se soucient guère de leur croissance personnelle ou ne parviendront pas à se développer sous votre gouverne. C'est à vous de trouver qui appartient à quelle catégorie.

En réfléchissant aux gens dont vous voulez favoriser le développement, gardez à l'esprit les lignes directrices suivantes:

- **Choisissez ceux dont la philosophie de vie est proche de la vôtre**. Leurs valeurs sous-jacentes et leurs priorités doivent ressembler aux vôtres. Si vous n'avez rien de fondamental en commun, vous risquez de poursuivre des objectifs contradictoires et votre travail ne sera pas aussi efficace que vous le souhaitez. Roy Disney, le frère et l'associé de Walt, disait: «Ce n'est pas difficile de prendre des décisions quand on connaît ses valeurs.» Et si les gens dont vous êtes le mentor ont des valeurs semblables aux vôtres, vous pourrez prendre des décisions harmonieuses lorsque vous travaillerez ensemble.
- **Choisissez ceux dont le potentiel vous semble vraiment prometteur**. Vous ne pouvez pas aider quelqu'un en qui vous ne croyez pas. Consacrez vos efforts de mentorat à

ceux qui ont le plus grand potentiel – ceux dont l'avenir vous semble prometteur – pas ceux qui vous inspirent de la pitié. Prenez soin des gens blessés, aimez-les et motivez-les. Mais consacrez-vous à ceux qui grandiront et feront une différence.

- **Choisissez ceux sur qui vous pouvez avoir un impact positif**. Les gens que vous êtes en mesure d'aider à se développer ne tireront pas tous parti de ce que vous avez à leur offrir. Cherchez ceux dont le potentiel s'accorde avec vos forces et votre expérience.
- **Trouvez un objectif à leur mesure**. On aimerait que tous ceux dont on est le mentor réalisent pleinement leur potentiel et deviennent des personnages importants. Après tout, les plus grands mentors conduisent les autres à un niveau plus élevé que celui qu'ils pourraient atteindre seuls. Mais en vérité, même si tous les gens sont capables de s'élever au-dessus de leur niveau actuel, tous ne peuvent pas atteindre les plus hauts sommets. Un bon mentor évalue le potentiel de chacun et place les gens en situation de réussir.
- **Commencez au bon moment**. Démarrez le processus au moment qui convient aux autres. Vous connaissez sans doute l'expression «Il faut battre le fer pendant qu'il est chaud.» Cela veut dire profiter sans tarder d'une situation propice. Il paraît que cette locution date du XIVe siècle. Elle vient des méthodes de travail des forgerons qui devaient attendre que le métal ait atteint une température précise pour le battre et lui donner la forme désirée. Il faut faire la même chose avec ceux dont vous voulez favoriser le développement. Si vous commencez trop tôt, ils n'auront pas encore éprouvé le besoin de se développer. Si vous commencez trop tard, vous aurez manqué votre meilleure occasion de les aider.

Une fois que vous avez trouvé les bonnes personnes, n'oubliez jamais que vous devez avoir leur consentement avant de commencer. Tout le monde aime être encouragé et motivé, vous pouvez donc le faire sans permission. Mais le mentorat n'est vraiment efficace que si les deux parties connaissent le programme, l'approuvent et y consacrent tous leurs efforts.

## DONNEZ-VOUS POUR PRIORITÉ DE LES GUIDER DANS LE PROCESSUS DE DÉVELOPPEMENT

Il peut être gratifiant et agréable de favoriser le développement d'autrui, mais cela demande aussi du temps, de l'argent et des efforts. Par conséquent, vous devez considérer ce processus comme un engagement et lui accorder une très grande priorité. Selon Ed Cole, un ami de John: «Il y a un prix à payer pour le développement, c'est l'engagement.» Une fois que vous vous êtes engagé, vous êtes prêt à commencer. Les suggestions suivantes vous aideront à maximiser votre efficacité:

### *Établissez leur potentiel*

Le compositeur Gian Carlo Menotti déclarait avec véhémence: «L'enfer commence le jour où Dieu nous permet de voir clairement tout ce qu'on aurait pu accomplir, tous les dons qu'on a gaspillés, tout ce qu'on aurait pu faire et qu'on n'a pas fait.» Un potentiel non utilisé est un gâchis dramatique. Et, en tant que mentor, vous avez le privilège d'aider les gens à découvrir et à réaliser leur potentiel. Mais pour y parvenir, vous devez d'abord le *percevoir*.

Le nageur Geoffrey Gaberino, médaillé d'or aux Jeux olympiques, résume la situation en ces termes: «La véritable lutte se situe toujours entre ce qu'on a fait et ce qu'on est capable de faire.» Essayez de discerner de quoi sont capables ceux que vous voulez aider. Cherchez en eux des indices de grandeur. Observez-les et écoutez-les également avec votre cœur. Trouvez ce qui les enthousiasme. Imaginez ce qu'ils feraient s'ils surmontaient leurs obstacles personnels, avaient davantage confiance en eux, s'amélioraient dans les domaines où ils semblent prometteurs et donnaient tout ce qu'ils ont. Cela vous aidera à établir leur potentiel.

### *Donnez-leur une vision de leur avenir*

L'ancien rédacteur de discours présidentiels, Robert Orben, conseillait vivement: «N'oubliez jamais qu'il n'existe que deux sortes de personnes ici-bas: les réalistes et les rêveurs. Les réalistes savent où ils vont. Les rêveurs y sont déjà allés.» Pour ajouter de la valeur à ceux dont vous favorisez le développement, précédez-les par la pensée, voyez leur avenir avant eux et donnez-leur une vision qui vous aidera à les motiver.

On a déjà dit un jour: «Résistez aux pressions qui vous amèneraient à penser que vos rêves ou vos talents sont dangereux. Leur nature n'a jamais été de vous inciter à la prudence, mais de vous apporter de la joie et de la satisfaction.» C'est un conseil extraordinaire. Les gens ne dépasseront jamais les rêves les plus fous tant qu'ils n'auront pas follement rêvé. En leur donnant une vision de leur avenir, vous les aidez à voir leur potentiel et tout ce qu'ils peuvent accomplir. Et quand vous ajoutez à cette vision votre foi en eux, vous les incitez à agir. Le grand homme d'État britannique Benjamin Disraeli a déclaré: «Nourrissez de grands idéaux, car vous n'irez jamais plus loin qu'eux.» Aidez les gens à se donner de grands idéaux, et ils commenceront à vivre à la mesure de ce qu'ils peuvent devenir.

### *Exploitez leur passion*

Pour favoriser le développement des gens, vous devrez stimuler leur désir de croissance, et un moyen d'y parvenir, c'est d'exploiter leur passion. Tout le monde – même les personnes les plus calmes et les moins démonstratives – se passionne pour quelque chose. Il vous faut seulement trouver quoi. Comme le scientifique Willis R. Whitney le faisait remarquer: «Certains ont des milliers de raisons qui les empêchent de faire ce qu'ils ont envie de faire, alors que tout ce dont ils ont besoin, c'est d'une seule raison pour en être capables.»

Pour trouver ce qui passionne les autres, allez plus loin que leurs désirs quotidiens, cherchez profondément en eux. Harold Kushner écrivait avec perspicacité: «Notre âme n'est pas avide de gloire, de confort, de richesse ou de pouvoir. Ces récompenses créent presque autant de problèmes qu'elles en résolvent. Notre âme est avide de signification, d'un sens à donner à notre vie pour qu'elle compte, de manière à ce que notre passage ait au moins quelque peu changé le monde.»

Une fois leur passion découverte, exploitez-la. Montrez-leur comment elle peut activer leur potentiel jusqu'à ce qu'ils soient capables de concrétiser la vision qu'ils se font de leur existence. La passion peut leur permettre de réaliser leurs rêves. Et comme le disait le président américain Woodrow Wilson: «Nos rêves nous font grandir. Tous les grands de ce monde sont des rêveurs. Ils voient tant de choses dans la douce vapeur d'un matin de printemps ou dans le rouge flamboiement d'une soirée d'hiver. Certains d'entre nous laissent mourir ces rêves, mais d'autres les nourrissent et les protègent; entretenez les rêves pendant les jours difficiles jusqu'à ce qu'ils conduisent les gens vers le soleil et la lumière que connaissent toujours ceux qui espèrent sincèrement voir leurs rêves se réaliser.» La passion aide les gens à nourrir et à protéger leurs rêves.

### *Occupez-vous de leurs points faibles*

Pendant que vous explorez les moyens d'aider les autres à se développer, vous devez vous occuper de tout problème de caractère qui pourrait émerger. Comme nous l'avons déjà mentionné dans le premier chapitre, l'intégrité est l'assise sur laquelle tout doit reposer. Peu importe vos efforts, si l'assise n'est pas solide, il y aura des problèmes.

Quand vous scrutez le caractère d'une personne, n'oubliez pas de voir au-delà de sa réputation. Abraham Lincoln faisait la distinction en ces termes: «Le caractère est l'arbre, et la réputation son ombre. L'ombre est ce qu'on pense de quelqu'un; l'arbre est ce qu'il est vraiment.» Prenez le temps de réellement bien connaître les gens que vous aidez. Observez-les dans diverses situations. Si vous arrivez à les connaître suffisamment pour savoir comment ils réagiront dans la plupart des cas, vous décèlerez où se situe leur faiblesse de caractère.

Martin Luther King disait: «L'ultime mesure d'un homme est sa force de caractère, non pas durant les périodes faciles et aisées, mais pendant les périodes de lutte et de controverse.» Votre objectif devrait être d'aider les gens que vous guidez à résister au milieu des tempêtes. Mais il faut d'abord commencer par des choses mineures. L'auteur et dirigeant d'entreprise Joseph Sugarman notait: «Chaque fois qu'on est honnête et qu'on se conduit honnêtement, l'impulsion du succès nous pousse vers une réussite encore plus grande. Chaque fois qu'on ment, même si c'est un petit mensonge pieux, de puissantes forces nous poussent vers l'échec.» Aidez les gens à apprendre à se comporter avec intégrité quelle que soit la situation, et ils seront prêts à se développer et à réaliser leur potentiel.

### *Concentrez-vous sur leurs forces*

Quand certains intervenants commencent à aider les gens dans leur développement personnel, ils s'attachent souvent à leurs faiblesses plutôt qu'à leurs forces. Peut-être parce qu'il est si facile de voir les problèmes et les défauts d'autrui. Mais si, dès le début, vous consacrez votre énergie à corriger les gens, vous les démoraliserez et vous saboterez sans le vouloir le processus de développement.

Nous avons récemment entendu une histoire de baseball à ce propos. Un après-midi, à St. Louis, Stan Musial jouait un match extraordinaire contre Bobo Newsom, le lanceur de Chicago. Stan a commencé par frapper un simple, puis un triple et, ensuite, un coup de circuit. Quand il s'est présenté au bâton pour la quatrième fois, Charlie Grimm, l'entraîneur de Chicago, a décidé de virer Bobo et de tenter sa chance avec un lanceur de relève, une recrue. Le joueur a quitté l'enclos des releveurs pour se rendre au monticule et, au moment de prendre la balle des mains de Newsom, il lui a demandé: «Dis donc, est-ce que ce Stan Musial a un point faible?

– Ouais», lui a répliqué Bobo Newsom. Il est incapable de frapper des doubles.»

Au lieu de vous concentrer sur les points faibles, portez votre attention sur les points forts. Travaillez sur les aptitudes. Complimentez les gens pour leurs qualités. Faites éclore leurs talents innés. Leurs défauts peuvent attendre – à moins que ce ne soit une faiblesse de caractère. Il faudra vous attaquer à leurs défauts seulement quand vous aurez établi une solide relation avec eux et qu'ils auront commencé à se développer et à avoir plus confiance en eux. À ce moment-là, traitez chaque défaut en douceur, l'un après l'autre.

### *Franchissez une seule étape à la fois*

Ronald Osborn notait: «Tant qu'on n'essaie pas de faire quelque chose de supérieur à ce qu'on maîtrise déjà, on ne peut pas se développer.» Aidez les gens à franchir des étapes qui les font progresser régulièrement sans les accabler ou les décourager.

Le cheminement sera différent pour chaque personne. Mais quels que soient leur point de départ ou leur objectif, les gens ont besoin de progresser dans certains domaines. Nous vous suggérons de les aider dans les quatre domaines suivants:

1. ***L'attitude***. Elle détermine plus que toute autre chose la réussite et la capacité à jouir de la vie. L'attitude des gens a non seulement un impact dans tous les domaines de leur propre vie, mais elle influence aussi d'autres personnes.

2. ***La qualité des relations***. Le monde est fait d'êtres humains, il faut donc apprendre à interagir efficacement avec autrui. La capacité d'entrer en relation et de communiquer peut avoir un effet sur la vie de couple, l'éducation des enfants, le travail, l'amitié, et ainsi de suite. Celui qui peut s'entendre avec les gens pourra progresser dans presque tous les domaines.

3. ***Le leadership***. Tout vient et part du leadership. Si ceux dont vous êtes le mentor prévoient travailler avec d'autres personnes, ils doivent apprendre à les diriger. Sinon, ils seront toujours seuls à porter le poids de ce qu'ils entreprennent.

*4. Les aptitudes personnelles et professionnelles.* Vous êtes peut-être surpris que ce domaine arrive en dernier. Mais en vérité, si on ne pense pas de façon positive et qu'on ne sait pas travailler avec les gens, toutes les compétences professionnelles du monde ne servent pas à grand-chose. En aidant les gens à se développer, travaillez d'abord sur ce qu'ils sont. Ce n'est pas *ce qui leur arrive* qui fait la différence, mais *ce qui se passe en eux.*

### *Donnez-leur des ressources*

Peu importe dans quel domaine vous travaillez avec eux, donnez-leur des ressources. Chaque fois que l'un de nous rencontre une personne dont nous favorisons le développement, nous essayons toujours de lui apporter quelque chose – des livres, des cassettes, des articles de magazine, tout ce que nous pouvons trouver de stimulant ou d'instructif. Rien ne nous fait plus plaisir que de savoir que nous avons aidé quelqu'un à franchir une étape de plus. C'est pourquoi nous créons sans cesse, l'un comme l'autre, des ressources utiles au développement personnel. Si vous ne pouvez pas trouver exactement ce que vous cherchez pour aider les gens, vous pouvez peut-être partager votre propre expérience avec eux.

La prochaine fois que vous vous apprêtez à rencontrer des gens dont vous désirez favoriser le développement, donnez-leur un coup de main avec quelque chose de concret. Recueillez des articles portant sur un de leurs champs d'intérêt. Donnez-leur un livre qui a eu un impact sur votre vie. Ou mettez à leur disposition des cassettes instructives et inspirantes. Si vous prenez une telle habitude, non seulement les gens aimeront le temps qu'ils passent avec vous, mais à chaque rencontre, vous constaterez qu'ils ont fait un petit pas de plus vers la réalisation de leur potentiel.

### *Faites-leur vivre des situations enrichissantes*

Un programme de croissance favorise le développement des gens. Mais il leur faut parfois quelque chose de plus pour trouver un nouvel élan d'énergie et d'inspiration. Helen

Keller, auteure et à la défense des non-voyants, disait: «On ne peut jamais consentir à ramper quand on ressent une envie irrésistible de voler.» Quand vous permettez aux gens de vivre des situations enrichissantes, vous leur donnez envie de prendre leur envol.

Les conférences et les séminaires, les rencontres avec des personnes remarquables et les événements spéciaux ont eu énormément d'impact sur nous. Ils nous ont toujours fait quitter notre zone de confort, ils nous ont amenés à penser plus loin que nous-mêmes et incités à aborder de nouvelles dimensions de l'existence. Mais n'oubliez pas: ce ne sont pas les événements et les rencontres qui font progresser les gens, cela les *incite* à prendre des décisions importantes qui peuvent changer le cours de leur vie. La croissance elle-même résulte des gestes posés quotidiennement suite à ces décisions.

### *Apprenez-leur à se charger de leur propre développement*

Selon Philip B. Crosby: «Une théorie sur le comportement humain affirme que nous retardons inconsciemment notre propre développement intellectuel. On en vient à se fier aux clichés et aux habitudes. Une fois que nous finissons par nous sentir à l'aise avec le monde environnant, nous cessons d'apprendre et notre esprit tourne au ralenti pour le reste de notre existence. On peut progresser au niveau organisationnel, être ambitieux et enthousiaste, voire travailler jour et nuit, mais on n'apprend plus.»

Une fois que les gens valorisent suffisamment la croissance personnelle pour commencer à se développer, vous avez franchi un grand obstacle. Mais l'étape suivante, c'est de les amener à continuer seuls. On a dit que l'objectif de tout enseignant devrait être de donner à ses élèves les moyens de continuer à progresser sans lui. Le même principe s'applique à ceux qui veulent favoriser le développement d'autrui. Donnez aux gens ce dont ils ont besoin pour apprendre à se charger de leur propre croissance. Montrez-leur comment trouver des ressources. Encouragez-les à quitter leur zone de confort de leur propre chef. Dirigez-les vers d'autres personnes capables de les aider dans leur apprentissage et leur croissance. En les amenant à devenir des gens qui apprendront toute leur vie, vous leur faites un cadeau inestimable.

***Un bon mentor évalue le potentiel de chacun et place les gens en situation de réussir.***

Nous avons déjà entendu dire: «On ne devient jamais riche tant qu'on n'a pas d'abord enrichi quelqu'un d'autre.» Quand vous enrichissez la vie de quelqu'un en l'aidant à se développer et à se charger de sa propre croissance, non seulement vous vous faites plaisir et vous lui apportez de la joie, mais vous augmentez aussi votre propre influence et sa capacité à toucher la vie d'autrui.

Au début de ce chapitre, nous vous avons raconté comment Fernando a enrichi la vie du fils de Jim et Nancy. Mais l'histoire ne s'arrête pas là:

> Depuis qu'Eric a participé à ce tournoi de *soccer* motorisé, il a vraiment changé. Il s'affirme davantage et poursuit ses objectifs avec plus d'enthousiasme. Il a, par exemple, maintenant décidé d'apprendre à jouer au tennis. Fernando a donc entrepris sa préparation. Comme je l'ai déjà mentionné, Eric a commencé à pratiquer l'haltérophilie. Mais pour pouvoir jouer au tennis, il a aussi franchi une autre étape qui nous a tout d'abord effrayés, Nancy et moi.
>
> Depuis son accident vasculaire cérébral, Eric est extrêmement limité dans l'usage de sa main droite, il peut donc surtout utiliser sa main gauche.
>
> Mais pour jouer au tennis, il lui faudrait tenir la raquette de sa bonne main. Quelle a été la solution de Fernando? Il a attendu que Nancy et moi soyons hors de la ville, et il a inversé les boutons de commande du fauteuil roulant pour qu'Eric les active avec sa mauvaise main. Nous pensions qu'il en serait incapable, mais Eric se sert maintenant de sa main droite pour diriger son fauteuil et, dès qu'il sera prêt, il ira prendre des leçons de tennis.
>
> Eric fait d'autres choses que nous trouvons tout simplement étonnantes. Entre autres, il travaille au bureau et se met tout seul

au lit. Mais ce n'est rien comparé à certains de ses objectifs: il veut pouvoir conduire une voiture.

Fernando est pour Eric un mentor et un entraîneur fantastique. Nous avons toujours voulu ce qu'il y avait de mieux pour notre fils, mais nous avons découvert que nous le surprotégions. Tout ce qui s'est passé a favorisé notre croissance et élargi notre horizon. Et, bien sûr, c'est incroyable de voir Eric se développer et changer de la sorte. Mais Eric, Nancy et moi ne sommes pas les seuls à en avoir bénéficié. Même Fernando, son mentor, s'est trouvé grandi. Lui aussi est en train de changer et de se développer. Il a toujours été un professionnel accompli, mais nous voyons maintenant son côté plus doux et aimant, qui demeurait caché auparavant. Et récemment, il disait à Nancy: «Je suis en train d'apprendre que je dois vraiment donner pour être heureux.»

Ce qu'a dit le philosophe et poète américain du XIXe siècle, Ralph Waldo Emerson, est vrai: «Une des plus belles compensations de la vie, c'est qu'on ne peut sincèrement essayer d'aider quelqu'un sans s'aider soi-même.» Si vous vous consacrez au développement des autres et les aidez à réaliser leur potentiel, les récompenses que vous en retirerez seront presque aussi extraordinaires pour vous que pour eux.

Liste de contrôle de votre influence

**FAVORISER LE DÉVELOPPEMENT D'AUTRUI**

- ❑ **Sur qui porteront vos efforts?** Écrivez le nom de trois personnes dont vous favoriserez le développement. Rappelez-vous que vous devez choisir des gens dont la philosophie de vie est proche de la vôtre, dont le potentiel vous semble prometteur, auprès desquels vous pouvez jouer un rôle positif et qui sont prêts à entreprendre un tel processus.

  1. ______________________________
  2. ______________________________
  3. ______________________________

- ❑ **Programme de croissance**. Utilisez la grille suivante pour mettre au point une stratégie afin d'aider les personnes choisies à se développer:

| | Personne 1 | Personne 2 | Personne 3 |
|---|---|---|---|
| Nom | ______ | ______ | ______ |
| Potentiel | ______ | ______ | ______ |
| Passion | ______ | ______ | ______ |
| Caractère | ______ | ______ | ______ |
| Domaine(s) d'intervention | ______ | ______ | ______ |
| Plus grande force | ______ | ______ | ______ |
| Prochaine étape de développement | ______ | ______ | ______ |
| Ressources pour les besoins courants | ______ | ______ | ______ |
| Prochaine expérience de croissance | ______ | ______ | ______ |

Chapitre 7

## *Une personne d'influence*

# SERT DE NAVIGATRICE

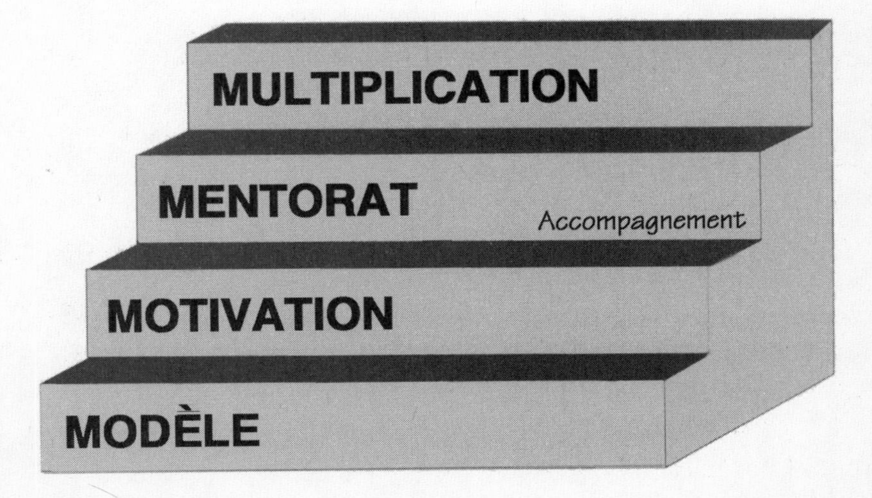

En aidant les gens à se développer et à réaliser leur potentiel, vous leur permettez d'accéder à une nouvelle dimension dans leur existence. Mais peu importe ce qu'ils apprennent et le degré de développement qu'ils atteignent, ils auront toujours des obstacles à surmonter. Ils commettront des erreurs. Ils auront des problèmes à régler dans leur vie personnelle et professionnelle. Et ils feront face à des situations qu'ils ne seront pas toujours en mesure de bien affronter sans soutien.

John raconte comment il a un jour décidé d'aider tout un vol de passagers à traverser une journée pénible:

Comme je donne des conférences un peu partout au pays, je voyage beaucoup, et je me retrouve parfois dans des situations inhabituelles. Je me souviens en particulier d'un soir où j'attendais à l'aéroport de Charlotte, en Caroline du Nord, mon vol vers Indianapolis, en Indiana. Je suis resté au téléphone jusqu'à la dernière minute, puis je me suis précipité vers la salle d'embarquement pour y retrouver Dick Peterson, le président d'INJOY, m'attendant à grimper en vitesse dans l'avion juste avant la fermeture des portes. Mais à ma grande surprise, il y avait environ 50 à 60 personnes qui semblaient se morfondre dans la salle d'attente.

Je me suis tourné vers Dick pour lui demander: «Qu'est-ce qui se passe?

«Eh bien», m'a-t-il répondu, «apparemment, on n'est pas prêt de décoller!

– Pourquoi?

– Je n'en sais rien.»

Je suis donc allé demander à l'employé près de la porte qui m'a répondu: «Les agents de bord ne sont pas encore arrivés et nous n'avons pas le droit de procéder à l'embarquement tant qu'ils ne sont pas là.» Puis on a annoncé la même chose par haut-parleurs et j'ai pu voir la déception des passagers. Ils avaient tous l'air dépités.

J'ai regardé Dick et je lui ai dit: «Dis donc, voyons si on peut faire quelque chose pour aider ces gens.» Nous sommes donc allés au comptoir du casse-croûte et j'ai commandé 60 coca-cola.

La serveuse, qui s'appelait Denise, m'a dévisagé un moment avant de dire: «Vous en voulez 60?»

Je lui ai alors expliqué: «Il y a un tas de passagers déçus qui attendent près de la porte et ils ont besoin de quelque chose pour leur remonter le moral.

– C'est pas une blague?» demanda-t-elle. Vous allez payer un coca à chacun d'eux?

– Bien sûr!»

Elle a marqué un temps d'arrêt avant de nous proposer son aide.

Elle, Dick et moi avons apporté à boire aux passagers qui attendaient devant la porte. Comme ils avaient l'air de ne pas savoir quoi en penser, je leur ai dit: «Puis-je avoir votre attention, s'il vous plaît? Je m'appelle John C. Maxwell. Puisqu'on ne va pas embarquer avant 30 ou 45 minutes, j'ai pensé que je pouvais au moins vous apporter quelque chose à boire. C'est gratuit!»

Nous avons commencé à faire circuler les boissons et je peux dire qu'ils m'ont tous trouvé un peu bizarre, y compris le personnel de la société aérienne. Mais au bout d'un moment, j'ai commencé à discuter avec eux et, dès qu'on a su que les agents de bord étaient arrivés et n'allaient pas tarder à franchir la porte, j'ai réussi à les persuader de nous laisser monter dans l'avion.

En arrivant, j'ai aperçu dans l'office un grand panier rempli de cacahuètes, de barres granola et de friandises, et je me suis dit: *Hé, ils ont besoin de quelque chose à grignoter avec leur coca-cola*. J'ai donc parcouru les allées en distribuant les friandises. En seulement cinq minutes, tout le monde était servi et sirotait son coca. À ce moment-là, les membres de l'équipage sont montés à bord et se sont confondus en excuses. L'un d'eux s'est dépêché d'annoncer par haut-parleurs: «Mesdames et messieurs, notre avion va décoller dans quelques minutes et nos agents de bord commenceront à vous servir à boire dès que possible.»

Cela a déclenché beaucoup de rires et de bavardages parmi les passagers, et un des agents de bord a demandé à l'autre: «Qu'est-ce qui se passe ici?»

Je suis allé les voir: «Bonjour, je m'appelle John. Ils ne se soucient pas trop du service en ce moment. Je leur ai déjà donné quelque chose à boire et à grignoter. En fait, est-ce que je pourrais leur dire quelques mots?» Ils m'ont répondu en riant: «Bien sûr, pourquoi pas?»

Ils m'ont laissé parler pendant que l'avion roulait sur la piste. «Salut, tout le monde. C'est votre ami, John C. Maxwell. Bouclez vos ceintures. Nous allons décoller dans quelques instants et, dès que nous serons dans les airs, je reviendrai vous servir.»

On s'est beaucoup amusés pendant le trajet. J'ai discuté avec tout le monde et j'ai aidé le personnel à servir à boire. Au moment d'atterrir, j'ai demandé à m'adresser aux passagers une dernière fois: «Eh, toute la clique, c'est John. Je suis si content d'avoir voyagé avec vous aujourd'hui. Nous avons passé un moment merveilleux, n'est-ce pas?» Ils se sont tous mis à crier des hourras et à applaudir. «Tout à l'heure, je serai dans la zone de retrait des bagages de l'aérogare. Si l'un d'entre vous a des problèmes, je vous invite à venir me voir et on s'occupera immédiatement de régler ça.»

Pendant que j'étais en train d'aider les gens à retrouver leurs bagages, un homme est venu me dire: «C'était formidable. Je viens de Floride d'où j'ai rapporté quelques pamplemousses. Tenez, en voici un pour vous.

«Merci beaucoup. Vous savez, j'ai un frère qui vit en Floride, à Winterhaven.

– C'est là que j'habite!» s'exclama-t-il. «Rappelez-moi votre nom? John C. Maxwell? Attendez un peu... Ne s'appelle-t-il pas Larry et sa femme Anita?

– C'est ça.

– Je les connais? Anita siège à un conseil d'administration avec moi. Je vais leur téléphoner tout de suite. Ils n'en croiront pas leurs oreilles.» Il se précipita vers la rangée de téléphones publics en ajoutant: «Ça fait des années que je voyage et c'est la première fois qu'il m'arrive une chose pareille!»

Ce qui aurait pu être un trajet pénible avec des passagers fatigués et grincheux s'est transformé en une aventure inoubliable pour tous ceux qui étaient à bord de l'avion. Pourquoi? Parce qu'une seule personne a décidé de prendre les autres sous son aile et de les aider à traverser une situation qui aurait pu être déplaisante. C'est ce que nous appelons servir de *navigateur.*

On a tous pour la plupart besoin d'aide pour traverser certaines difficultés de la vie. La majorité des passagers considéraient sans doute le retard comme un léger inconvénient, mais ils ont quand même éprouvé du plaisir à traverser cette petite épreuve avec l'aide de quelqu'un de positif. Presque tout le monde a besoin de ce genre d'assistance et l'apprécie, en particulier quand des problèmes compliqués les frappent de plus près et qu'ils éprouvent plus de difficultés à y faire face.

Ann Landers fait partie des gens réputés pour venir au secours d'autrui en cas de problèmes. En parlant de ce qu'elle a appris grâce aux lettres que les lecteurs lui envoyaient pour sa chronique, elle disait:

> «J'ai vraiment appris – au sens le plus fort du terme – ce que Leo Rosten avait en tête quand il disait: "Chacun de nous est un peu tout seul au plus profond de lui et pleure pour être compris.» J'ai appris comment cela se passe dans notre monde pour les gens qui trébuchent, sont torturés et n'ont personne à qui parler. Le succès de ma chronique met en évidence, au moins pour moi, la tragédie première de notre société; le manque de relation, l'insécurité et la peur qui tourmente, désempare et paralyse un si grand nombre d'entre nous. J'ai appris que le succès financier, la réussite scolaire ou le statut social ou politique n'apporte ni la tranquillité d'esprit ni la sécurité intérieure. Nous errons tous, comme des moutons, sur cette planète.[1]

Les gens que vous influencez ont besoin de votre aide, en particulier ceux qui tentent de parvenir à un niveau plus élevé, d'entreprendre une nouvelle aventure ou de franchir une nouvelle étape dans leur vie. Ils ont besoin de quelqu'un pour les mener et les guider. Mel Ziegler, le fondateur de Banana Republic, soulignait la capacité de naviguer du leader quand il écrivait: «Un leader découvre la gorge profonde et cachée qui sépare ce qui est de ce qui devrait être et il met en

1. *Saturday Review.*

place une passerelle de fortune pour tenter la traversée. Depuis l'autre rive, il guide ceux qui osent emprunter sa passerelle branlante jusqu'à ce que des ingénieurs puissent construire un pont plus solide pour tous.»[1]

***«Le leader est celui qui voit mieux, plus loin et avant les autres.»***
*Leroy Eims*

Mel Ziegler nous propose une image frappante. Mais la plupart des gens ont besoin d'un leader qui n'intervient pas seulement une fois, devant une seule gorge à traverser. Ils ont besoin d'être guidés presque continuellement jusqu'à ce qu'ils puissent mettre de l'ordre dans leur vie, et ensuite on pourra les encourager à continuer le voyage tout seuls. Cela ressemble davantage à traverser un océan avec eux plutôt qu'à les inciter gentiment à traverser un abîme. Il faut les aider à trouver leur chemin, à repérer les icebergs, et à naviguer dans la tempête, et il faut faire le voyage avec eux – au moins jusqu'à ce qu'ils soient dans la bonne direction et capables d'apprendre à naviguer seuls.

## LE NAVIGATEUR DÉTERMINE LA DESTINATION

Un bon navigateur aide les gens à déterminer leur destination. Dans *Be the Leader You Were Meant to Be,* Leroy Eims écrivait: «Le leader est celui qui voit mieux, plus loin et avant les autres.» Dans le chapitre précédent, nous avons parlé de l'importance de donner aux gens une vision de leur avenir pour les inciter à se développer.

Puis l'étape suivante consiste à leur montrer leur destination d'une manière plus concrète. S'ils sont insatisfaits et découragés, c'est souvent qu'ils n'ont pas trouvé l'idéal qui leur convient. Quelqu'un a déjà dit: «Enterrer ses rêves, c'est s'enterrer soi-même, car nous sommes vraiment de la texture

1. Cité dans *Esquire.*

même de nos rêves». Dieu nous a mis sur terre pour que nous réalisions notre potentiel.» Vous devrez aider les gens à découvrir leur rêve, puis à tenter de l'atteindre. Sans mouvement, il ne peut y avoir de navigation. Et tout mouvement représente un progrès uniquement s'il se fait en direction de l'objectif.

Vous avez peut-être déjà pris conscience d'une grande partie du potentiel de ceux que vous tentez d'aider par votre mentorat, mais il vous faut en savoir plus sur eux. Pour leur permettre de déterminer la destination qu'ils s'efforceront d'atteindre, vous devez connaître ce qui compte vraiment pour eux, comment ils fonctionnent. Pour y parvenir, cherchez:

- **Ce qui les fait vibrer**. Pour connaître leur vraie destination, vous devez savoir ce qui touche leur cœur. La passion et la compassion sont des stimulants irrésistibles. On dit que les grands personnages de l'histoire ne doivent pas leur grandeur à ce qu'ils possédaient ou à ce qu'ils ont gagné, mais à ce à quoi ils ont consacré leur vie. Écoutez avec votre cœur et vous pourrez découvrir les choses auxquelles les autres sont prêts à se consacrer.
- **Ce qui les fait chanter**. Frank Irving Fletcher notait: «On ne peut pas livrer la marchandise si on a le cœur lourd.» Il y a une grande différence entre ce qui réjouit les gens et ce qui les accable. À long terme, ils doivent canaliser en grande partie leur énergie sur ce qui leur apporte de la joie. Si vous cherchez ce qui enthousiasme ceux dont vous êtes le mentor, vous aurez un autre indice sur leur future destination.
- **Ce qui les fait rêver**. Napoleon Hill disait: «Chérissez vos visions et vos rêves, car ils sont les enfants de votre âme, le plan de votre réussite finale.» Si vous pouvez aider les gens à découvrir à quoi ils rêvent et à croire vraiment en leurs rêves, vous pouvez les aider à devenir ceux qu'ils sont destinés à être.

## UN NAVIGATEUR TRACE LA ROUTE

Quand vous réfléchissez aux passions, au potentiel et à la vision des gens, vous pouvez mieux déterminer leur véritable destination, car vous les voyez avec plus de profondeur et de discernement. Les gens disent souvent avoir le bonheur ou le succès pour objectif, mais avec des buts aussi superficiels, ils seront sans aucun doute déçus. Comme le soulignait John Condry: «Le bonheur, la richesse et le succès sont des conséquences de la définition d'objectifs et ne peuvent être l'objectif lui-même.»

Une fois que vous avez permis aux gens d'établir ce qu'ils envisagent de faire de leur vie, vous devez les aider à trouver des moyens de concrétiser leur vision, ce qui signifie tracer une route et définir des buts. Selon J. Meyers: «Un crayon à mine nº 2 et un rêve peuvent vous mener n'importe où.» Il savait sans aucun doute combien il est précieux de planifier et de se fixer des objectifs par écrit. Cela ne veut pas dire que tout se déroulera comme prévu, mais il faut commencer par établir un plan stratégique. Une bonne règle générale, c'est d'écrire vos objectifs dans le ciment et de tracer vos plans dans le sable.

Pour aider les gens à déterminer leur route, réfléchissez avec attention aux questions suivantes:

### *Quelle est la meilleure route?*

Vous seriez très surpris de voir combien les gens peuvent s'écarter de leur chemin quand ils essaient d'atteindre leurs objectifs. Comme l'écrivait E. W. Howe dans *Success Is Easier Than Failure*: «Certains prennent d'assaut des Alpes imaginaires toute leur vie et meurent en vitupérant des difficultés qui n'existent pas.» Ceux qui n'ont jamais connu le succès n'ont souvent aucune idée de ce qui est nécessaire pour aller de là où ils sont à là où ils veulent se rendre. Ils se perdent dans un labyrinthe d'activités parce qu'ils ne se rendent pas compte qu'ils peuvent emprunter un chemin plus facile. En tant que navigateur, vous aurez à leur montrer la meilleure route.

### *Que doivent-ils savoir?*

Nous avons entendu une anecdote amusante à propos d'un homme qui voulait aider sa femme qu'il croyait atteinte d'un problème auditif. Un soir, il se place à l'autre bout de la pièce, lui tourne le dos et lui demande doucement: «Est-ce que tu m'entends?» N'obtenant pas de réponse, il se rapproche et répète: «Et maintenant, est-ce que tu m'entends?» Toujours rien. La fois suivante, il se rapproche encore un peu plus et comme il n'entend toujours pas de réponse, il finit par poser de nouveau la question en se mettant juste derrière elle. Sa femme se retourne alors pour lui dire: «Pour la quatrième fois, *oui*!»

Trop de gens ont le même genre de problèmes. Ils veulent réussir et aider les autres, mais leur incompréhension ou leur manque de connaissances les freine. Un bon navigateur reconnaît les obstacles qui empêchent les gens d'y voir clair, il les détermine gentiment et les aide à les surmonter.

### *Quelles sont les étapes indispensables?*

Quand vous servez de navigateur aux autres, n'oubliez jamais qu'ils ne peuvent pas faire tout le voyage d'une seule traite. Il faut qu'ils progressent dans leurs objectifs et franchissent une étape à la fois. Ce fait est illustré par une expérience menée par Alfred J. Marrow, président d'entreprise et titulaire d'un doctorat en psychologie. Il voulait trouver un moyen d'aider les nouveaux employés inexpérimentés à atteindre le plus vite possible le rendement maximum et à répondre aux mêmes critères que ses employés expérimentés.

Alfred Marrow décida de diviser ses nouveaux employés en deux groupes. Il demanda au premier groupe d'atteindre en douze semaines la production des employés expérimentés. Pour le second groupe, il établit des objectifs hebdomadaires progressifs, chaque objectif étant un petit peu plus ambitieux que le précédent.

***«Un crayon à mine nº 2 et un rêve peuvent vous mener n'importe où.»***

*J. Meyers*

Dans le premier groupe à objectif unique, seulement 66 % ont répondu à ses attentes. Mais le second groupe aux objectifs intermédiaires a obtenu un rendement nettement meilleur et a pu égaler plus rapidement la production moyenne des travailleurs expérimentés de l'entreprise.[1]

Quand vous travaillez avec les gens, aidez-les à prévoir non seulement leur destination à long terme, mais aussi les petites étapes qui les y mèneront. Aidez-les à déterminer des buts à leur portée qui leur donneront confiance en eux, et ils progresseront.

## UN NAVIGATEUR EST PRÉVOYANT

Peu de choses sont plus décourageantes que d'être désagréablement surpris, surtout quand quelqu'un aurait pu vous aider et reste là sans rien faire, à regarder ce qui vous arrive. C'est pourquoi une de vos tâches de navigateur est de prévoir les problèmes à la place des autres. En tant que leader et mentor, vous avez déjà été là où ils ne sont pas encore allés, vécu des expériences qui ne leur sont pas encore arrivées et acquis une compréhension de la réalité qu'ils n'ont pas encore. Vous êtes en mesure de les préparer à ce qui les attend. Sinon, vous ne les aidez pas comme il se doit et vous n'assumez plus une de vos plus importantes fonctions en tant que leader. L'humoriste américain Arnold H. Glasow a saisi ce que cela signifiait: «On teste un leader à sa capacité de reconnaître un problème avant qu'il ne devienne une urgence.» C'est une chose que les gens moins expérimentés dont vous vous occupez sont incapables de faire seuls au début.

Voici quatre vérités que vous devriez les aider à comprendre en début de parcours:

### *1. Tout le monde a des problèmes*

Quelqu'un a dit en plaisantant: «Si vous gardez la tête froide alors que tout votre entourage perd la tête, vous n'avez

---

1. Mortimer R. Feinberg, *Effective Psychology for Managers.*

simplement pas compris le problème.» En servant de mentor et en aidant les gens à se développer, vous vous apercevrez peut-être qu'ils espèrent atteindre un jour une étape de leur vie où les problèmes disparaîtront. Mais ils doivent réaliser que tout le monde a des problèmes. Peu importe le chemin parcouru ou le succès obtenu, ils continueront à faire face à des difficultés. Ou, comme le disait Elbert Hubbard, écrivain et défenseur des artistes: «Celui qui n'a plus de problèmes à résoudre n'est plus dans le jeu.»

Le Barna Research Group a demandé à plus de 1200 personnes de déterminer leur besoin ou leur problème le plus sérieux. Voici les domaines où ils considéraient avoir le besoin ou le problème le plus urgent, accompagnés du pourcentage des répondants:

39% l'argent
16% le travail
12% la santé
8% le temps et le stress
7% l'éducation des enfants
6% le manque de formation
3% la peur du crime
3% les relations interpersonnelles.[1]

Comme vous pouvez le constater, les gens font face à une diversité de problèmes, et l'argent vient en tête de liste. Préparez-vous à leur donner votre soutien. Et n'oubliez pas de régler vos propres problèmes avant de tenter d'aider les autres à résoudre les leurs.

### *2. Les gens qui réussissent ont plus de problèmes que ceux qui échouent*

Voici une autre idée fausse très répandue: les gens qui ont du succès ont réussi parce qu'ils n'ont pas eu de problèmes. Mais c'est faux. Dans son livre *Holy Sweat*, Tim Hansel raconte les faits suivants:

1. «The Top Problems and Needs of Americans», *Ministry Currents*, janvier-mars 1994.

En 1962, Victor et Mildred Gœrtzel ont publié *Le Berceau de la grandeur*, une étude révélatrice portant sur 413 personnes célèbres et exceptionnellement talentueuses. Les deux chercheurs ont passé des années à tenter de comprendre à quoi ces personnages devaient leur grandeur, le point commun dans la vie de ces êtres exceptionnels. Le plus remarquable, c'est que presque tous, 392 sur 413, avaient dû surmonter des obstacles très difficiles pour devenir ce qu'ils étaient. Leurs problèmes étaient devenus des bonnes occasions au lieu d'être des obstacles.[1]

Non seulement les gens surmontent-ils des obstacles pour parvenir à la réussite, mais même après avoir atteint un certain niveau de succès, ils continuent d'affronter des problèmes. La mauvaise nouvelle, c'est que plus on s'élève – sur le plan personnel et professionnel – plus la vie devient compliquée. Quand on a du succès, on doit faire face à des emplois du temps plus chargés, se soucier davantage de l'argent, et répondre à de plus grandes exigences. Mais la bonne nouvelle, c'est qu'en continuant de progresser et de se développer, la capacité de gérer les problèmes augmente elle aussi.

### 3. L'argent ne résout pas les problèmes

Une autre croyance erronée, c'est de penser que l'argent résout tout. En fait, c'est le contraire – ceux qui ont de l'argent ont tendance à être moins satisfaits et à avoir plus de problèmes. Ernie J. Zelinski cite une étude qui montre, par exemple, que le pourcentage de gens insatisfaits de leur revenu est plus élevé chez ceux dont le revenu annuel dépasse 75 000 dollars que chez ceux dont le revenu annuel est inférieur à ce chiffre. Il note également:

> Le pourcentage de gens souffrant de problèmes de drogue et d'alcool est plus élevé chez les riches que dans l'ensemble de la population. J'ai ma théorie sur le bien-être que peut procurer l'argent. Si on est heureux et capable de bien faire face à ses problèmes avec un revenu annuel de 25 000 dollars, on sera heureux et capable de bien régler ses problèmes avec beaucoup plus d'argent. Si on est malheureux et incapable de

1. Tim Hansel, *Holy Sweat* (Waco: Word, 1987), p. 134.

gérer ses problèmes avec un revenu annuel de 25 000 dollars, on peut s'attendre à la même chose avec beaucoup d'argent. On sera simplement aussi malheureux et aussi inefficace face à ces problèmes, mais avec plus de confort et de panache.[1]

L'essentiel à retenir, c'est que vous devriez aider les gens à comprendre que l'argent ne peut remplacer les aptitudes nécessaires pour résoudre les problèmes, les aptitudes qu'il leur faut développer. Les problèmes financiers sont généralement le symptôme de problèmes personnels.

### *4. Les problèmes fournissent l'occasion de se développer*

Lorsque vous aidez les gens, n'oubliez pas que si les problèmes peuvent causer de la souffrance, ils sont aussi une excellente occasion de se développer. Ou comme l'a dit l'auteur Nena O'Neill: «Chaque crise porte en elle une occasion de renaître.»

Les habitants d'Enterprise, en Alabama, comprennent bien ce concept. Dans leur ville, il y a un monument érigé en 1919 et dédié à l'anthonome du cotonnier. Il rappelle ce qui s'est passé en 1895, l'année où les insectes ont détruit la ressource principale du comté, les récoltes de coton. Après ce désastre, les fermiers du coin ont commencé à diversifier leurs cultures, et la récolte de cacahouètes de 1919 a rapporté beaucoup plus que les meilleures des récoltes de coton. Voici ce qui est écrit sur le monument: «Toute notre profonde reconnaissance à l'anthonome du cotonnier, le messager de notre prospérité... D'une période d'efforts et de crise, sont nés une nouvelle croissance et un nouveau succès. L'adversité a été la mère de bienfaits.»

Comme vous l'avez certainement remarqué, tout le monde n'aborde pas les problèmes de la même façon. Selon l'historien Arnold Toynbee, il y a quatre types de réactions face aux difficultés:

1. Se réfugier dans le passé.
2. Rêver de l'avenir.

---

1. Ernie J. Zelinski, *The Joy of Not Knowing It All* (Edmonton, Alberta, Canada: Visions International Publishing, 1995).

3. Se replier sur soi-même et attendre que quelqu'un vienne à la rescousse.
4. Affronter la crise et la transformer en quelque chose d'utile.

Quand vous aidez les gens, faites-leur savoir qu'ils rencontreront peut-être des eaux tumultueuses. Montrez-leur qu'il est prudent de les prévoir du mieux possible.

Et quand les ennuis surviennent, encouragez-les à les affronter et à tenter de s'améliorer en même temps.

## UN NAVIGATEUR RECTIFIE LE PARCOURS

Nous avons entendu dire qu'avant l'époque du matériel électronique de pointe, le navigateur avait l'habitude de faire le point à l'aide d'un sextant à un moment bien précis de la nuit pour déterminer si le navire s'était écarté de sa route, puis il faisait les corrections nécessaires. Même si la route avait été tracée avec précision et que les timoniers l'avaient suivie fidèlement, cela arrivait toujours, et il fallait apporter des modifications.

Il en va de même pour les gens. Quelle que soit la qualité de leur concentration et de leur planification, ils s'écarteront de leur chemin. Ce sera une source de problèmes s'ils ont du mal à rectifier leur parcours car ils ignorent avoir perdu le cap ou comment y remédier. Tout le monde n'a pas le talent inné de résoudre les problèmes. Pour la plupart des gens, c'est une aptitude à acquérir. John Foster Dulles, secrétaire d'État sous l'administration Eisenhower, proposait: «Le succès se mesure non pas à la difficulté du problème à résoudre, mais à la capacité de ne pas se retrouver avec le même problème que l'année précédente.» En tant que navigateur, vous pouvez aider les gens à éviter les problèmes récurrents.

### *Apprenez-leur à ne pas écouter les gens qui doutent d'eux*

Dans son livre *L'Étoffe des leaders*, Stephen Covey raconte qu'on avait invité Christophe Colomb à un banquet où on lui avait réservé la place d'honneur. Un courtisan superficiel et jaloux lui demanda abruptement: «Si vous n'aviez pas découvert les Indes, un autre Espagnol aurait été capable de le faire, n'est-ce pas?»

Pour toute réponse, Christophe Colomb prit un œuf et invita l'assemblée à le faire tenir debout. Tous essayèrent, mais sans succès. Sur quoi, l'explorateur tapa l'œuf contre la table, écrasant une de ses extrémités, et le fit tenir debout.

«Tout le monde aurait pu en faire autant!» s'écria le courtisan.

– Oui, à condition de savoir comment», répondit Christophe Colomb. «Et une fois que je vous ai montré la route du nouveau monde, rien n'est plus facile que de la suivre.»

***Quand vous servez de navigateur aux autres, n'oubliez jamais qu'ils ne peuvent pas faire tout le voyage en un seul jour.***

En vérité, il est cent fois plus facile de critiquer autrui que de résoudre les problèmes. Mais les critiques ne mènent nulle part. Alfred Armand Montapert l'a résumé ainsi: «La majorité des gens voient les obstacles; rares sont ceux qui voient les objectifs; l'histoire rapporte le succès des seconds, alors que l'oubli est la récompense des premiers.» Aidez ceux que vous influencez à ne pas tenir compte des critiques et à rester concentré sur leur objectif. Montrez-leur que le meilleur moyen de faire taire les critiques, c'est de résoudre le problème et d'aller de l'avant.

### *Formez-les à ne pas se laisser écraser par les défis*

Un joueur de baseball, recrue en ligue majeure, affrontait le lanceur Walter Johnson pour la première fois, au moment où celui-ci était au mieux de sa forme. Le frappeur attrapa deux prises rapides et se dirigea vers le banc des joueurs en disant à l'arbitre de garder la troisième prise – il en avait vu assez.

On a presque tous tendance à se décourager quand on éprouve des difficultés. C'est pourquoi il est judicieux de former les gens à résoudre leurs problèmes, en particulier au tout début du processus de mentorat. Encouragez-les à garder une attitude positive et donnez-leur des stratégies pour trouver des solutions.

Le spécialiste en management, Ken Blanchard, recommande une stratégie en quatre étapes: (1) réfléchir au problème pour déterminer ce qu'il a de particulier; (2) mettre au point des théories pour le résoudre; (3) prévoir les conséquences de la mise en pratique de ces théories; (4) choisir la méthode en fonction de la situation globale. Selon Ken Blanchard: «Que vous choisissiez une destination de vacances ou un conjoint, un parti ou un candidat, une cause à défendre ou des principes à suivre toute votre vie, réfléchissez!» Aucun problème n'est insolvable. Avec du temps, de la réflexion et une attitude positive, on peut résoudre à peu près tout.

### *Incitez-les à chercher des solutions simples*

Deux éléments sont essentiels pour rendre une méthode de résolution de problèmes efficace. Premièrement, on doit comprendre que la manière la plus simple est toujours la meilleure. Un exemple extrait de la vie de Thomas Edison illustre bien ce propos. Il paraît que Thomas Edison avait une seule technique pour engager des ingénieurs. Il donnait une ampoule électrique au postulant et lui demandait: «Combien d'eau peut-elle contenir?»

En général, les ingénieurs s'attaquaient au problème en employant une des deux méthodes suivantes. La première consistait à mesurer tous les angles de l'ampoule et à calculer sa surface en partant de schémas. Ce qui demandait parfois jusqu'à 20 minutes. La seconde consistait à remplir l'ampoule d'eau, puis à verser son contenu dans un verre à mesurer, ce qui prenait en général environ une minute.[1] Thomas Edison

1. David Armstrong, *Managing by Storying Around*, cité dans *The Competitive Advantage*.

n'embauchait jamais les ingénieurs qui employaient la première méthode. Il n'avait pas besoin que les ingénieurs l'impressionnent – il voulait qu'ils lui donnent des solutions simples.

Deuxièmement, pour être efficace, il faut être capable de prendre des décisions. Thomas J. Watson fils, l'ancien dirigeant d'IBM, était convaincu de la nécessité de résoudre rapidement les problèmes pour pouvoir progresser. «Résolvez-les», affirmait-il. Résolvez-les rapidement, bien ou mal. Si votre solution n'est pas bonne, le problème vous reviendra en pleine figure, et ensuite vous pourrez le résoudre comme il faut. Il est plus facile de faire le mort parce qu'on ne court aucun risque, mais c'est un choix absolument fatal pour celui qui dirige une entreprise.» Et tout aussi terrible pour gérer sa vie. Aidez les gens à réaliser que, s'ils ont besoin de rectifier leur parcours, il leur faut trouver des solutions simples qui leur semblent efficaces, puis les appliquer sans attendre. Ne les laissez pas continuer à s'écarter un seul instant de leur route.

### *Donnez-leur confiance en eux*

Le danger, lorsque les gens se retrouvent confrontés à leurs problèmes et à leurs erreurs, c'est qu'ils peuvent douter d'eux-mêmes. Ne cessez pas d'encourager ceux que vous aidez. Selon George Matthew Adams: «Ce qu'on pense est ce qui compte le plus dans notre vie. C'est plus important que ce qu'on gagne, que le lieu où on vit, que notre position sociale, et que ce que les autres peuvent penser de nous.» La grandeur des gens et la qualité de leur attitude importent plus que la taille des problèmes qu'ils peuvent éprouver. Si les gens continuent d'avoir confiance en eux, ils seront capables de surmonter n'importe quel obstacle.

## UN NAVIGATEUR DEMEURE AUPRÈS DES GENS

Pour finir, un bon navigateur fait le voyage avec ceux qu'il guide. Il ne disparaît pas après avoir établi le parcours. Il accompagne les gens pendant le voyage, comme un ami. L'auteur et conférencier Richard Exley a expliqué ainsi sa conception de l'amitié: «Le véritable ami est celui qui écoute et comprend quand vous lui faites part de vos sentiments les plus profonds. Il vous soutient dans vos luttes; il vous corrige, gentiment et avec amour, quand vous commettez des erreurs; et il vous pardonne quand vous échouez. Un véritable ami vous incite à vous développer et à réaliser pleinement votre potentiel. Et plus surprenant encore, il célèbre vos succès comme s'ils étaient les siens.»

Il vous arrivera peut-être parfois de connaître des moments difficiles avec ceux que vous guidez. Vous ne serez pas parfait, et eux non plus, mais gardez en tête les paroles d'Henry Ford: «Votre meilleur ami est celui qui va chercher le meilleur en vous.» Faites de votre mieux pour suivre cet objectif, et vous aiderez beaucoup de gens.

Une fois que les gens savent résoudre efficacement les problèmes et sont capables de naviguer seuls, leur vie commence à changer de façon spectaculaire. Ils ne se sentent plus impuissants face aux circonstances difficiles de la vie. Ils apprennent à encaisser les coups – et même à en esquiver quelques-uns. Et une fois qu'ils ont pris l'habitude de résoudre les problèmes, aucun défi ne semble trop grand.

Jim a une excellente capacité de réflexion et sait résoudre les problèmes à merveille. Au fil des ans, il a vécu plusieurs situations très intéressantes. Récemment, il a raconté une histoire qui vous plaira certainement:

> Il y a quelques années, pendant que Nancy et moi animions un séminaire de gens d'affaires à bord d'un grand paquebot de croisière aux Antilles, on nous a appelés pour assister à une importante réunion d'affaires au Michigan. Nous n'avons eu aucun problème pour nous y rendre, car on avait prévu de venir nous chercher en jet privé à l'aéroport de San Juan, à Porto Rico. Mais ce fut une tout autre histoire de quitter le Michigan et de revenir sur le paquebot.
>
> Nous avions prévu rentrer à bord du même jet le lendemain et retrouver le bateau à l'escale suivante. De là, le bateau devait

repartir vers Miami et nous pourrions poursuivre notre séminaire. Mais au moment de quitter le Michigan, notre avion a dû retourner au hangar à cause d'un problème mécanique. Cela nous a vraiment mis dans l'embarras. Il n'y avait aucun vol régulier vers notre destination, ni aucun avion privé suffisamment puissant pour nous amener à Saint-Martin, situé à environ 2 500 kilomètres des côtes de la Floride.

Il n'était simplement pas question de rater le séminaire, nous avons donc cherché d'autres solutions. Le meilleur moyen, c'était de nous rendre à Atlanta en jet privé, puis de trouver un autre avion pour terminer le voyage.

Avant d'atterrir à Atlanta, nous avions réussi à obtenir un autre avion qui nous attendait, prêt à décoller. Notre jet à peine arrêté, nous avons pris nos affaires et nous nous sommes précipités vers l'autre. Vous pouvez imaginer avec quel soulagement nous sommes montés à bord.

Nous étions depuis un moment dans les airs quand nous avons réalisé que l'avion nous déposerait sur l'île exactement 15 minutes après le départ du paquebot. «Il faut réussir à faire retarder le départ du bateau», ai-je dit aussitôt.

Le pilote s'est occupé de régler le problème en communiquant par radio avec le capitaine du paquebot qui accepta de retarder le départ de 20 minutes. Puis le pilote s'est arrangé pour nous faire passer rapidement les douanes, ce qui ne posa aucun problème. Nous avons donc commencé à être optimistes.

Nous nous sommes rués sur le premier taxi disponible mais, à peine partis, nous nous sommes retrouvés au milieu d'un énorme embouteillage.

«Est-ce qu'on est loin du bateau?» a demandé Nancy.

– Il est de l'autre côté de l'île», a répondu le chauffeur.

– Ça prendra combien de temps?

– Environ 15 minutes, peut-être 20.

– Il faut qu'on y arrive en moins de 10 minutes», lui ai-je dit en lui offrant un généreux pourboire.

Il m'a regardé, puis il a jeté un coup d'œil à l'argent, et il a dit: «D'accord, monsieur.» Il a grimpé sur le trottoir avec son taxi, puis il s'est dépêché de tourner dans une ruelle. Nous avons pris des virages, brûlé des feux rouges, emprunté des ruelles sinueuses et de petites rues à toute vitesse. On se serait cru sur les montagnes russes à Disneyland. Il nous a semblé voir l'arrière de tous les immeubles de l'île. Puis, tout à coup, nous sommes passés à travers un passage étroit entre deux immeubles et le taxi est arrivé sur les chapeaux de roues sur la jetée, en plein soleil – le paquebot était en vue et la corne annonçait son départ imminent.

Quand le taxi s'est arrêté dans un crissement de pneus, nous nous sommes rués hors de la voiture. C'est alors que nous avons commencé à entendre les hourras. Manifestement, on avait prévenu les participants à notre séminaire que nous tentions par tous les moyens de revenir parmi eux. Et quand nous avons enfin pu jeter un coup d'œil, nous avons vu plus de 500 personnes sur le pont en train de crier de joie, d'applaudir et de hurler des hourras pour fêter notre arrivée.

« Mais qui êtes-vous donc ? » nous a demandé le chauffeur. Je lui ai simplement tendu l'argent en disant : « Merci pour votre aide. » Puis, Nancy et moi avons couru jusqu'à la passerelle. Cela n'avait pas été facile, mais nous avions réussi.

Tout le monde peut apprendre à résoudre des problèmes et à surmonter des obstacles, mais cela exige de l'entraînement. Si Jim et Nancy s'étaient retrouvés dans la même situation 20 ans plus tôt, ils n'auraient probablement pas réussi à rejoindre le bateau. Mais au fil des années, ils ont développé une aptitude exceptionnelle à faire que les choses se produisent, non seulement dans leur vie, mais aussi dans la vie d'autrui.

Vous pouvez avoir cette même aptitude. Servez de navigateur aux autres. Vous pourrez utiliser votre influence pour aider les gens à franchir la prochaine étape et, si vous les secondez pendant les heures les plus sombres, ils deviendront des amis pour la vie.

Liste de contrôle de votre influence
**SERVIR DE NAVIGATEUR**

- ❑ **Déterminez leur destination**. Pensez aux trois personnes que vous avez décidé de guider. Quelle est leur destination? Observez-les pour découvrir ce qui les fait vibrer, chanter et rêver. Notez-le ci-dessous:

  Personne 1: ______________________________

  Vibre: ______________________________

  Chante: ______________________________

  Rêve: ______________________________

  Personne 2: ______________________________

  Vibre: ______________________________

  Chante: ______________________________

  Rêve: ______________________________

  Personne 3: ______________________________

  Vibre: ______________________________

  Chante: ______________________________

  Rêve: ______________________________

- ❑ **Soyez prévoyant**. En vous fiant à votre expérience et à ce que vous savez de ces personnes, dressez la liste des difficultés qu'elles risquent de rencontrer dans un proche avenir:

  1. ______________________________
  2. ______________________________
  3. ______________________________

- ❑ **Planifiez à l'avance**. Comment pouvez-vous les aider à traverser ces difficultés probables? Écrivez ce que vous pouvez faire et quand vous devriez le faire.

  1. ______________________________
  2. ______________________________
  3. ______________________________

Chapitre 8

***Une personne d'influence***

# CRÉE DES LIENS

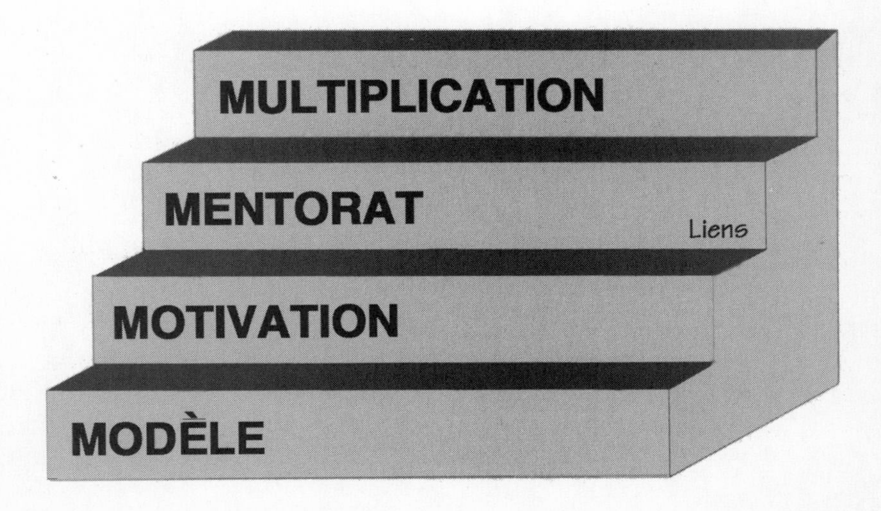

Êtes-vous déjà allé à une réunion de famille ou à un regroupement d'anciens élèves? C'est souvent agréable parce que cela vous donne l'occasion de renouer avec des gens que vous n'avez pas vus depuis longtemps. Récemment, John s'est rendu à une réunion de ce genre et il a passé un moment exceptionnel. Laissons-le nous raconter comment cela s'est passé:

> À ma sortie du collège, en 1969, j'ai commencé par travailler dans une petite église à Hillham, en Indiana, où j'ai été le pasteur supérieur pendant trois ans. Le temps que Margaret et moi avons vécu là, le ministère a réellement pris de l'expansion, tellement qu'en 1971, on a dû construire une nouvelle église pour contenir tous les fidèles. Nous considérons ces trois années comme une période de développement cruciale dans notre vie, une époque que nous avons vraiment aimée et qui a porté ses fruits.
>
> J'ai reçu récemment un appel en provenance de cette petite église de campagne. La personne au téléphone m'a expliqué sur un ton animé qu'on s'apprêtait à célébrer le 25e anniversaire de la construction de notre église. On préparait un grand service et on lançait des invitations des kilomètres à la ronde pour célébrer l'événement. Puis elle a marqué une pause et s'est éclairci la voix avant de finalement me demander: «Monsieur Maxwell, seriez-vous d'accord pour venir prêcher à notre service du dimanche?
>
> – J'adorerais ça», ai-je répondu. «Ce sera un grand honneur pour moi. Dites-moi simplement quand cela aura lieu, et je serai là.»
>
> Durant les quelques mois suivants, j'ai réfléchi à ce que je pourrais faire pour que cette journée d'anniversaire devienne exceptionnelle pour eux. Je ne voulais surtout pas revenir comme une sorte de héros victorieux. Je savais qu'il me fallait trouver des moyens de créer des liens avec eux.
>
> J'ai commencé par leur demander de m'envoyer un exemplaire du répertoire de leur ministère, avec les photos et les noms de

tous les membres de leur congrégation. J'ai reconnu un bon nombre de ceux qui figuraient dans le livre. Certains avaient moins de cheveux que dans mon souvenir et la plupart avaient maintenant les cheveux gris, mais je reconnaissais les visages malgré les rides. Beaucoup d'autres visages m'étaient inconnus. Les fils et les filles de gens que j'aimais, et plusieurs nouveaux noms qui ne me disaient rien. J'ai passé beaucoup de temps à étudier ces photos et à mémoriser les noms.

Puis j'ai préparé le meilleur sermon possible, plein d'histoires sur nos expériences en commun. Je faisais part de quelques-unes de mes erreurs et je racontais toutes leurs victoires. Je voulais leur faire savoir qu'ils avaient contribué à mon succès. Ce sont des gens qui favorisent la réussite d'autrui et je me sentais privilégié d'avoir été à leur service pendant trois ans et d'avoir bénéficié de leur amour, de leur soutien et de leur attention.

Mais je savais que le temps que je leur accorderais serait encore plus important que le message de mon sermon ou que tout ce que je pouvais faire d'autre. La veille, Margaret et moi avons donc pris l'avion de bonne heure, et nous avons passé le samedi après-midi avec les anciens, les piliers de notre ministère 25 ans plus tôt. Nous avons partagé beaucoup de souvenirs merveilleux. Je leur ai raconté quelques-uns des mes souvenirs préférés et ils m'ont surpris avec quelques histoires de leur cru. Par exemple, un homme en fauteuil roulant était adolescent à l'époque où j'étais pasteur dans cette église. Il était resté dans le coma après un accident et j'étais allé les voir plusieurs fois à l'hôpital, sa famille et lui. Un soir qu'il reposait inconscient dans son lit, j'avais partagé ma foi avec lui. J'avais quitté Hillham pour mon nouveau ministère peu de temps après et je n'avais jamais su, jusqu'à ce jour, qu'il était enfin sorti du coma.

«Vous rappelez-vous être venu me voir à l'hôpital et m'avoir parlé il y a 25 ans?» me demanda-t-il.

– Bien sûr», ai-je répondu.

– Moi aussi. Je me souviens on ne peut mieux de ce jour. J'étais incapable de vous répondre, mais j'entendais chacune de vos paroles. C'est le jour où je suis devenu croyant.» Et il m'a raconté comment sa foi avait eu un impact sur les autres membres de la collectivité. C'était un moment très spécial.

Le jour suivant, je suis arrivé de bonne heure à l'église et j'ai serré la main des fidèles à mesure qu'ils entraient dans le sanctuaire. C'était merveilleux de rencontrer tant de monde et de pouvoir saluer chaque personne par son prénom. Le message de mon sermon était très positif. Je leur ai dit que, même s'ils avaient accompli des choses merveilleuses depuis mon départ, je pouvais voir que leurs plus grandes réalisations étaient dans les 25 années à venir. Leurs meilleurs jours étaient encore devant eux. Et quand je les ai quittés, j'ai eu le sentiment de ne pas avoir seulement renoué avec d'anciennes connaissances, mais de m'être également fait beaucoup de nouveaux amis.

John a passé peu de temps avec les paroissiens de Hillham, mais durant cette courte période, il a pu faire quelque chose d'important pour eux et pour lui. Il a été capable de créer des liens.

## CRÉER DES LIENS PERMET AUX AUTRES D'ATTEINDRE UN NIVEAU PLUS ÉLEVÉ

Créer des liens est une partie très importante du processus du mentorat, absolument indispensable pour influencer les gens de façon positive. En leur servant de navigateur, vous les accompagnez dans leur cheminement pendant un moment et les aidez à faire face aux obstacles et aux difficultés qu'ils éprouvent dans leur vie. Mais en créant des liens avec eux, vous les invitez à vous accompagner dans votre propre cheminement pour votre bien à vous et pour le leur.

Pour nous, créer des liens avec autrui est comparable à ce qui se passe dans une gare de triage. Les wagons qui attendent sur les rails sont précieux. Ils ont de la valeur parce qu'ils sont chargés de marchandises. Ils ont une destination et même un itinéraire pour s'y rendre. Mais seuls, ils sont incapables d'aller nulle part. Pour faire quelque chose de valable, ils doivent être accrochés à une locomotive.

Avez-vous déjà vu une gare de triage et la façon dont les éléments isolés sont regroupés pour former un convoi en état de marche? C'est tout un processus. On commence par transférer la locomotive sur les mêmes rails que le wagon qu'elle doit tirer. Puis on la fait reculer vers le wagon jusqu'à ce qu'elle le touche et on les relie. Une fois qu'on a bien accroché tous les wagons et la locomotive ensemble, le convoi peut partir vers sa destination.

Il faut que la même chose se produise avant d'entreprendre le voyage avec les gens. Vous devez trouver où ils en sont, aller vers eux pour établir le contact et vous relier à eux. Si vous y parvenez, vous pourrez les guider vers de nouveaux sommets à la fois dans votre relation et dans leur propre croissance. N'oubliez jamais que la route vers le niveau suivant est toujours en pente et que les gens ont besoin d'aide pour atteindre ce niveau plus élevé.

## NEUF ÉTAPES POUR CRÉER DES LIENS AVEC LES AUTRES

Heureusement, vous n'avez pas besoin d'être mécanicien pour créer des liens avec les gens, mais vous devez faire des efforts pour que la relation s'établisse. Il vous faut la capacité de communiquer, le désir d'aider les gens à grandir et à changer, et le sentiment d'avoir une mission personnelle ou un objectif de vie – après tout, vous devez savoir où vous allez pour emmener les autres avec vous.

Considérez les étapes suivantes et utilisez-les pour créer des liens avec les gens que vous influencez:

### *1. Ne tenez personne pour acquis*

Vous pouvez créer des liens avec les gens et les guider seulement s'ils sont précieux à vos yeux. Les piètres leaders se laissent parfois tellement emprisonner par leur propre vision qu'ils en oublient les gens qu'ils essaient de diriger. Mais vous ne pouvez pas tenir les gens pour acquis, quel que soit le temps que cela dure, sans que votre leadership ne commence à s'effriter. Et il vous sera alors impossible de créer des liens avec eux.

Tip O'Neill, l'ex-président de la Chambre des représentants, a raconté une histoire amusante qui révèle ce qui peut arriver quand vous tenez les gens pour acquis. Un jour d'élection, une voisine âgée est venue le voir après avoir voté et lui a dit: «Tip, j'ai voté pour vous aujourd'hui, même si vous ne me l'avez pas demandé.»

Surpris, Tip O'Neill répliqua: «Madame O'Brien, je vous connais depuis toujours. Je sors vos poubelles, je tonds votre pelouse et j'enlève votre neige. Je ne pensais pas qu'il était nécessaire de vous le demander.

– Tip», répondit-elle d'un ton maternel, «cela fait toujours *plaisir* quand on vous demande quelque chose.» Tip O'Neill disait n'avoir jamais oublié ce conseil.

Accorder de la valeur aux gens est la première étape pour créer des liens, mais cela présente d'autres effets positifs. Quand vous montrez aux gens que vous ne les tenez pas pour acquis, ils vous rendent la pareille. C'est ce dont John a pu se rappeler grâce à son ami et collègue Dan Reiland. John va vous raconter ce qui s'est passé:

> Récemment, Margaret et moi avons passé un long week-end avec Dan et sa femme Patti. Dan travaille avec moi depuis 15 ans. D'abord pasteur exécutif à l'église Skyline pendant que j'étais pasteur supérieur, il est maintenant le vice-président d'INJOY. Nous avons passé le week-end dans un lieu de villégiature à Laguna Beach. C'était formidable. Nous avons apprécié la piscine, la station thermale, et nous avons passé ensemble un moment merveilleux.
>
> Au moment de partir, je suis allé à la réception pour régler la note et j'ai découvert que Dan m'avait devancé et s'était déjà chargé de tout. Je lui en ai parlé plus tard: «Dan, tu n'aurais pas dû faire ça. Je voulais vous inviter Patti et toi.
>
> – Non, John», m'a-t-il répondu. «Cela nous a fait plaisir. Tu as tant fait pour nous; je ne veux jamais te tenir pour acquis.»

Bill McCartney, un ami de John qui a été entraîneur chef de l'équipe de football les Buffalœs, de l'État du Colorado, disait: «Chaque fois que vous dévalorisez quelqu'un, vous remettez en question le fait que Dieu l'ait créé.» On ne dit jamais trop souvent, ni trop fort, ni trop publiquement aux gens combien on les aime.

**Vous pouvez créer des liens avec les gens et les guider seulement s'ils sont précieux à vos yeux.**

### 2. Soyez fermement convaincu de pouvoir faire une différence

Si vous désirez accomplir quelque chose d'exceptionnel et que vous voulez vraiment y parvenir, vous devez avoir l'attitude de quelqu'un qui peut faire une différence. Sinon, chaque fois que vous doutez, vous échouerez. Comment acquérir un tel état d'esprit?

***Croyez en votre aptitude à faire une différence.*** Tout le monde sur terre – y compris vous – a le potentiel de faire une différence, de changer quelque chose dans la vie des gens. Mais pour y parvenir, il faut croire en soi et être prêt à donner de sa personne. Comme le disait Helen Keller: «La vie est excitante, et encore plus quand on la vit pour les autres.» Vous n'êtes peut-être pas capable d'aider *tout le monde,* mais vous pouvez certainement aider *quelqu'un.*

***Soyez convaincu que le partage peut faire une différence.*** Nous passons tous deux une grande partie de notre temps à créer des liens et à communiquer avec les gens. À nous deux, nous avons un impact sur plus d'un million de personnes par année. Nous abandonnerions sur-le-champ si nous n'étions pas convaincus que ce que nous partageons peut faire une différence. Mais nous savons que nous pouvons aider les gens à transformer leur vie. Nous sommes persuadés que tout vient et part du leadership, que les attitudes font et défont les gens. Et nous savons que, sans foi, la vie est vide de sens, de bonheur et de paix.

Vous devez être convaincu que tout ce que vous avez à offrir peut faire une différence dans l'existence des autres. On n'a pas envie de suivre une personne sans conviction. Si vous n'êtes pas convaincu, les autres ne le seront pas non plus.

***Soyez convaincu que celui avec qui vous partagez peut faire une différence.*** Nous avons lu, dans ce qu'on appelle la règle de la réciprocité dans le comportement humain, qu'avec le temps, les gens finissent par adopter des attitudes similaires les uns envers les autres. En d'autres termes, si nous avons une haute opinion de vous et que nous la conservons, vous finirez par éprouver la même chose à notre égard. Ce processus crée des liens entre nous et ouvre la voie à une association enrichissante.

***Soyez convaincu de pouvoir faire ensemble une grande différence.*** Mère Teresa incarnait une vérité qu'elle a un jour exprimé ainsi: «Je suis capable de faire ce que vous ne pouvez pas faire et vous êtes capable de faire ce que je ne peux pas faire. *Ensemble*, nous pouvons faire de grandes choses.» Personne ne pourra jamais accomplir seul ce qu'il est capable de faire en s'alliant aux autres. Et toute personne qui ignore cela n'arrivera pas à réaliser son potentiel.

Voici une histoire, à propos d'un organiste célèbre dans les années 1800, qui illustre combien il est important de reconnaître la valeur de ses associés. Le musicien allait de ville en ville pour donner des concerts. Partout, il engageait un garçon pour actionner le soufflet de l'orgue. Un soir, après une de ses prestations, l'organiste n'arrivait pas à se défaire du garçon qui l'a même suivi jusqu'à son hôtel.

«Notre concert était vraiment exceptionnel ce soir, n'est-ce pas?» lui dit le gamin.

– Que veux-tu dire par *notre*?» répliqua le musicien. *Mon* concert a été exceptionnel. Et maintenant, file à la maison!»

Le soir suivant, au beau milieu d'une magnifique fugue, l'orgue s'arrêta soudain. Aussitôt, le petit garçon apparut au coin de l'orgue et dit avec un large sourire: «*Notre* concert n'est pas terrible ce soir, n'est-ce pas?»

Pour créer des liens avec les gens et les amener à un niveau plus élevé, prenez conscience de la différence que vous pouvez faire en tant qu'équipe et reconnaissez-la à chaque occasion.

### *3. Faites le premier pas*

Selon Tom Peters et Nancy Austin: «Le problème numéro un qui freine la productivité des cadres aux États-Unis, c'est tout simplement qu'ils sont coupés de leur personnel et de leur clientèle.»[1] Le manque de contact et de communication est un problème courant, pas seulement chez les cadres d'entreprises. C'est peut-être ce qui amène le spécialiste de la vente Charles B. Roth à dire: «Souvent, les professionnels de la vente qui ont uniquement leur amitié à offrir à leurs clients vendent beaucoup plus que ceux qui ont tout à leur offrir – excepté leur amitié.»[2]

Selon nous, nombreuses sont les raisons qui empêchent les gens de créer des liens. La première, en particulier au sein des entreprises, c'est que beaucoup de leaders pensent qu'il revient à leurs employés d'entrer en contact avec eux. Mais en vérité, c'est le contraire. Pour être efficace, le leader doit faire le premier pas. S'il ne va pas vers ses employés pour les rencontrer là où ils sont et établir le contact, il n'y aura pas de lien entre eux dans 80% des cas.

### *4. Trouvez un terrain d'entente*

Chaque fois qu'on désire créer des liens avec quelqu'un, il faut commencer par une chose sur laquelle on est d'accord, c'est-à-dire trouver un terrain d'entente. Si vous avez acquis une bonne capacité d'écoute – comme nous l'avons expliqué dans le quatrième chapitre –, vous êtes probablement capable de déceler des domaines où vous avez une expérience ou des points de vue en commun. Discutez de vos loisirs, des endroits où vous avez habité, de votre travail, de vos enfants ou des sports que vous pratiquez. Le sujet compte moins que votre attitude. Soyez positif et essayez de voir les choses du point de vue de votre interlocuteur. En étant ouvert et sympathique, vous gagnez déjà la moitié de la bataille. Et comme on le dit parfois: «Toutes choses étant égales, on fera affaire avec

---

1. Tom Peters et Nancy Austin, *La passion de l'excellence.*
2. Charles B. Roth, *The Handbook of Selling* (Prentice-Hall).

quelqu'un qu'on aime. S'il y a des différences, on fera quand même affaire avec lui.»

Même quand on trouve un terrain d'entente, on peut parfois rencontrer des obstacles dans le processus de communication. Si vous sentez une hésitation chez les gens avec qui vous tentez de créer des liens, essayez de les rejoindre sur un terrain émotif commun. Un excellent moyen d'y parvenir, c'est d'utiliser ce qui s'appelle *sentir, ressentir et trouver*. D'abord, essayez de *sentir* ce qu'ils éprouvent, reconnaissez leurs sentiments et leur valeur. Si vous avez éprouvé le même genre de sentiments dans le passé, faites-leur part de la façon dont vous les avez alors *ressentis*. Pour finir, partagez avec eux ce que vous avez *trouvé* pour vous aider à gérer ces sentiments.

Une fois que vous vous serez habitué à chercher un terrain d'entente avec les gens, vous vous apercevrez que vous êtes capable de parler avec presque tous et de les rejoindre sur leur terrain. Et une fois que vous savez faire cela, il vous est possible de créer des liens.

### *5. Reconnaissez les différences de personnalité et respectez-les*

On est capable de trouver ce qu'on a en commun avec les gens, mais il faut en même temps reconnaître qu'on est tous différents. Et c'est une des grandes joies de la vie, même si nous n'en avons pas toujours l'impression. Florence Littauer, une amie de John, a écrit un livre excellent pour aider à comprendre les gens, *Personnalité plus*[1]. Elle y décrit les quatre principaux types de personnalité:

- **Sanguin**: recherche le plaisir; orienté sur les sorties et les relations, il est spirituel, facile à vivre, populaire, artistique, émotif, franc et optimiste.
- **Mélancolique**: recherche la perfection; introverti, il est orienté sur la tâche, artistique, émotif, axé sur l'objectif, organisé et pessimiste.

1. Publié aux éditions Un monde différent, en 1990. Le sous-titre est: *Comprendre les autres en se connaissant soi-même.*

- **Flegmatique**: recherche la paix; introverti, il est impassible, résolu, orienté sur les relations, pessimiste et guidé par le but.
- **Colérique**: recherche le pouvoir ou le contrôle: il est résolu, catégorique, orienté sur l'objectif, organisé, impassible, il aime les sorties, il est franc et optimiste.

Presque tout le monde entre dans une de ces catégories (ou présente les traits de caractère de deux catégories complémentaires). John, par exemple est un sanguin-mélancolique classique. Il adore avoir du plaisir, il est résolu et se charge naturellement d'à peu près n'importe quelle situation. Jim, d'un autre côté, est un mélancolique-flegmatique. Il a l'esprit d'analyse, il ne se laisse pas mener par ses émotions et, en général, il garde ses opinions pour lui.

Reconnaissez les différences et respectez-les. Quand vous créez des liens avec des colériques, faites-le avec force. Avec des mélancoliques, restez centré sur eux. Avec des flegmatiques, donnez-leur confiance. Et avec des sanguins, montrez votre enthousiasme.

Le dramaturge John Luther le comprenait fort bien: «Le talent naturel, l'intelligence, une merveilleuse éducation, rien de ceci ne garantit le succès. Il faut quelque chose de plus: être sensible aux gens pour comprendre ce qu'ils désirent et avoir la volonté de le leur donner.» Prêtez attention à la personnalité des gens et faites de votre mieux pour vous retrouver sur leur terrain. Ils apprécieront votre sensibilité et votre compréhension.

### *6. Trouvez ce qui importe dans la vie de chacun*

L'industriel Andrew Carnegie pouvait comprendre les gens et ce qui comptait pour eux avec une acuité hors du commun. Il paraît que pendant son enfance en Écosse, il avait une lapine qui a donné le jour à une portée de lapins. Pour les nourrir, il a demandé à ses petits voisins de ramasser du trèfle et du pissenlit. En retour, chaque petit garçon pouvait donner son nom à un lapin.

Une fois adulte, Andrew Carnegie a fait quelque chose de semblable qui montre combien il comprenait les gens. Comme il voulait vendre son acier à la Société de chemins de fer de Pennsylvanie, il a baptisé la nouvelle aciérie qu'il venait de construire à Pittsburgh la J. Edgar Thompson Steel Works, en hommage au président de la société. Edgar Thompson fut tellement flatté par cet honneur qu'il a ensuite acheté tout son acier chez Andrew Carnegie.

Vous n'êtes pas obligé d'être un Andrew Carnegie pour créer des liens avec les gens. Il faut seulement savoir ce qui compte pour eux. Tout le monde tient à quelque chose en particulier. Il vous suffit donc de trouver ce que c'est. Voici deux indices pour vous aider. Pour comprendre ce qu'une personne a dans la tête, observez ce qu'elle a déjà accompli. Pour comprendre ce qu'elle a dans le cœur, regardez ce qu'elle cherche à faire. Cela vous aidera à trouver ce qui importe pour elle et, une fois que vous l'avez trouvé, utilisez-le avec intégrité. Ne l'employez qu'avec sa permission et pour son propre bien et non le vôtre – pour aider, et non pour faire mal.

### *7. Communiquez avec votre cœur*

Une fois que vous avez créé des liens avec les gens, trouvé un terrain d'entente et découvert ce qui importe vraiment pour eux, faites-leur part de ce qui compte vraiment pour vous. Pour cela, il faut leur parler avec votre cœur.

On a demandé à un jeune homme, fraîchement diplômé en psychologie, de donner une conférence à un groupe de citoyens âgés. Pendant trois quarts d'heure, il leur a expliqué l'art de bien vivre ses vieux jours. À la fin de la conférence, une octogénaire est venue dire au jeune conférencier: «Votre vocabulaire et votre prononciation sont excellents, mais je dois vous dire quelque chose que vous finirez par comprendre en vieillissant, vous ne savez pas de quoi vous parlez!»

Être sincère est ce qui compte avant tout quand vous parlez aux gens, que ce soit en tête-à-tête ou devant un large auditoire. Les connaissances, les techniques ou la vivacité d'esprit ne peuvent pas remplacer le désir sincère et honnête d'aider autrui.

Abraham Lincoln était célèbre pour son talent de communicateur et, au centre de cette aptitude, se trouvait sa capacité de parler avec son cœur. En 1842, Abraham Lincoln s'adressait à une société de Washington. Pendant son discours, il faisait l'observation suivante: «Si vous voulez qu'un homme rejoigne votre cause, faites-lui d'abord comprendre que vous êtes son ami sincère. Si vous essayez de lui imposer une idée ou de le commander, ou si vous le traitez comme quelqu'un à fuir et à mépriser, il se repliera sur lui-même... Il deviendra aussi dur à percer que la carapace d'une tortue avec la tige d'un épi de blé.»[1]

Quand vous parlez aux autres pour créer des liens, communiquez avec votre cœur et demeurez vous-même.

### *8. Partagez des expériences*

Pour créer de véritables liens, il ne suffit pas d'un terrain d'entente et d'une bonne communication. Il faut trouver un moyen de consolider la relation. Selon Joseph F. Newton: «Les gens sont seuls parce qu'ils érigent des murs au lieu de construire des ponts.» Pour bâtir des ponts qui vous permettront de créer des liens durables avec les gens, vivez des expériences avec eux.

---

***Personne ne pourra jamais accomplir seul ce qu'il est capable de faire en s'alliant aux autres.***

---

Nous avons tous deux eu le plaisir de vivre des expériences avec d'autres gens pendant des années. Chaque fois que John embauche un nouveau cadre, par exemple, celui-ci prend toujours la route avec lui pour assister à plusieurs de ses conférences. Ce n'est pas seulement pour que le nouveau venu se familiarise avec les services offerts par la société, mais

1. Carl Sandberg, *Lincoln: The Prairie Years.*

aussi parce qu'en voyageant ensemble, ils apprennent à mieux se connaître dans diverses situations. Rien ne lie plus deux personnes que d'avoir à traverser à toute vitesse les embouteillages d'une ville inconnue pour se rendre à l'aéroport, et de courir ensuite avec leurs bagages à la main à travers la foule pour se précipiter dans l'avion à la dernière minute!

Les expériences vécues en commun n'ont pas besoin d'être dramatiques (même s'il est vrai que l'adversité rapproche). Mangez ensemble. Allez voir un match de baseball ensemble. Faites-vous accompagner quand vous sortez pour rendre une visite ou aller à un rendez-vous. Tout ce que vous vivez ensemble crée un passé commun qui vous aide à établir la relation.

Une merveilleuse histoire au sujet des liens vient de la carrière de Jackie Robinson, le premier joueur afro-américain de la ligue majeure de baseball. Pendant qu'il faisait tomber la barrière raciale au sein du baseball, Jackie Robinson a affronté les huées des foules, les menaces de mort, et des tas d'insultes dans presque tous les stades. Un jour, de retour chez lui, au stade de Brooklyn, il a commis une erreur et tous ses supporters l'ont immédiatement tourné en ridicule. Il est resté au deuxième but, humilié, pendant que ses propres supporters le huaient. Puis l'arrêt-court Pee Wee Reese est venu se mettre à ses côtés. Il a passé son bras autour de ses épaules et il a fait face à la foule. Les supporters se sont calmés. Il paraît que Jackie Robinson a déclaré par la suite que le bras de Pee Wee Reese autour de ses épaules avait sauvé sa carrière.

Trouvez des moyens de bâtir des ponts avec les gens qui sont dans votre sphère d'influence, en particulier quand ils vivent des temps difficiles. Ces liens renforceront incroyablement votre relation et vous prépareront au voyage que vous pouvez entreprendre ensemble.

### *9. Une fois la relation établie, allez de l'avant*

Pour influencer les gens et les diriger dans la bonne direction, il faut créer des liens avec eux avant d'essayer de les emmener où que ce soit. Les leaders inexpérimentés ont tendance à commettre l'erreur de sauter cette étape. Si vous essayez de faire progresser les gens avant d'avoir franchi les étapes de ce processus, vous risquez de provoquer leur méfiance, leur résistance, et des tensions dans votre relation. N'oubliez jamais que vous devez donner de vous-même avant d'essayer d'entreprendre le voyage avec eux. Comme on l'a déjà noté: «Le leadership, c'est cultiver aujourd'hui chez les gens leur disposition à vous suivre demain dans une nouvelle expérience pour l'amour de quelque chose d'exceptionnel.» La relation crée une telle disposition.

Ce qui est difficile quand on veut influencer autrui, c'est de créer des liens avec des gens d'une autre culture. Jim a fait ce genre d'expériences de nombreuses fois depuis qu'il travaille dans 26 pays différents. Il a trouvé particulièrement intéressant de travailler avec la population du bloc de l'Est, anciennement sous la tutelle de l'Union soviétique:

> Nos débuts avec les gens d'Europe de l'Est ont été une expérience vraiment unique. Nous connaissions fort peu de choses sur leur culture et leurs valeurs, et nous avons découvert que ce qui est normal dans notre travail quotidien semblait étrange à des gens qui avaient enduré 50 ans de régime communiste.
>
> Le peuple américain a été élevé en majeure partie avec des valeurs morales et éthiques judéo-chrétiennes. On tient souvent cela pour acquis, de même que les bienfaits de la libre entreprise et du capitalisme. Nos nouveaux amis de pays comme la Pologne, la Hongrie et la République tchèque ont cependant été habitués à survivre dans l'univers corrompu d'un gouvernement tyrannique, de la propagande et d'un enseignement où les valeurs, comme on les connaît chez nous, étaient rares voire inexistantes. Leur milieu les avait amenés à croire que le succès vient seulement à ceux qui *contournent* les règles et battent les tricheurs à leur propre jeu. Nous avons découvert que beaucoup de gens pensaient uniquement au succès à tout prix et qu'ils en tiraient une fierté ou presque à enfreindre astucieusement les règles.
>
> Nous pensions qu'il était important de montrer à ces gens merveilleux que le véritable succès n'est possible que si on a un comportement éthique et qu'on respecte les principes d'inté-

> grité et de confiance. Cela semblait un travail énorme, mais les gens étaient intelligents et nous travaillions avec des jeunes professionnels exceptionnels avides d'apprendre les secrets de la véritable réussite.
>
> Nous avons commencé par tenter de faire tout ce qui était en notre pouvoir pour créer des liens avec les gens de ces pays. De bien des façons, cela fut le plus grand de tous nos défis. Mais nous avons pu trouver quelques personnes clés et nous sommes intervenus à leurs côtés à titre d'amis et de mentors. Nous avons entrepris de leur servir de navigateur à travers ce nouveau paradigme: vivre selon une éthique et faire des affaires en respectant des principes. Nous leur avons consacré beaucoup de temps pour apprendre à mieux les connaître et créer des liens avec eux pendant ce voyage important. Notre objectif était de leur donner les moyens de jouer un rôle positif dans la vie de leurs compatriotes.
>
> Le cheminement se poursuit encore pour nous. Mais que nous soyons en train de travailler en Europe de l'Est, en Chine continentale ou dans un autre pays, nous nous apercevons que les gens sont fondamentalement semblables. Tout le monde veut le succès et le bonheur et désire avidement apprendre de ceux qui sont en avance sur eux. Mais vous ne pouvez pas avoir un impact significatif sur leur vie tant que vous ne créez pas des liens personnels avec eux. Alors seulement, vous pourrez entreprendre le voyage avec eux et faire réellement une différence.

L'impact de Jim et Nancy se fait ressentir aux quatre coins du monde. Ils savent qu'influencer signifie créer des liens avec les gens, les éduquer et ensuite les laisser voler de leurs propres ailes pour qu'ils reproduisent la même chose dans la vie d'autres personnes. Créer des liens est une étape fondamentale du processus. Mais avant que les gens puissent atteindre le plus haut niveau et avoir à leur tour de l'influence sur les autres, il leur faut encore franchir une autre étape: on doit les investir d'empowerment. Et c'est le sujet de notre prochain chapitre.

Liste de contrôle de votre influence

**CRÉER DES LIENS**

- ❑ **Mesurez la qualité de votre relation actuelle**. Quelle est la force de votre relation avec les gens que vous avez décidé d'influencer? Savez-vous ce qui compte vraiment dans la vie de chacun? Avez-vous déterminé un terrain d'entente? Avez-vous vécu ensemble des expériences qui vous lient? Si votre relation n'est pas aussi forte que vous le souhaitez, n'oubliez pas que c'est à vous de faire le premier pas. Prévoyez du temps dans la semaine à venir pour prendre un café, partager un repas ou simplement bavarder avec chaque personne.
- ❑ **Créez des liens plus profonds**. Si vous n'avez jamais passé beaucoup de temps avec eux en dehors du travail, prévoyez de le faire dans le mois à venir. Planifiez un week-end de détente ou de sorties, en compagnie de vos conjoints. Ou emmenez-les à un séminaire ou à une conférence. Le principal, c'est de vous donner l'occasion de créer des liens plus profonds et de vivre des expériences ensemble.
- ❑ **Faites-leur part de votre vision**. Une fois que vous avez établi une relation solide, partagez vos espoirs et vos rêves avec eux. Donnez-leur une vision de votre avenir commun et invitez-les à faire le voyage avec vous.

Chapitre 9

***Une personne d'influence***

# PROCÈDE À L'EMPOWERMENT

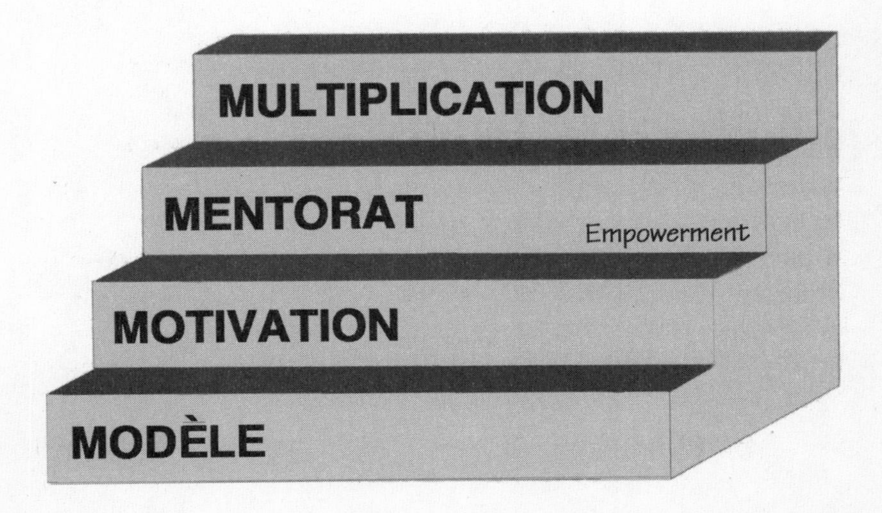

Une bonne partie du travail de Jim consiste à rencontrer assez souvent ses leaders clés et, comme ils viennent de partout au pays et d'ailleurs à travers le monde, il s'arrange pour varier le lieu de leurs réunions. Au fil des années, Nancy et lui se sont mis à préférer un lieu en particulier. Il s'agit de Deer Valley, près de Salt Lake City, en Utah. Récemment, lors d'un séjour avec quelques-uns de leurs leaders, il s'est passé quelque chose d'intéressant. Jim va vous en dire plus:

> Deer Valley est vraiment un cadre magnifique. L'hiver, c'est formidable pour skier et l'été, les montagnes sont magnifiquement boisées et les prairies couvertes de fleurs sauvages. Nous adorons vraiment y venir en vacances ou y organiser des réunions.
>
> Cette année, nous y sommes allés en groupe, avec une dizaine de couples, et nous avons logé dans des appartements près des pistes de ski. Notre séjour à tous a été merveilleux.
>
> Au moment de partir, nous avons ramassé nos affaires et nous sommes passés régler la note au bureau de location avant d'aller à l'aéroport. Mais en vérifiant les comptes, nous avons découvert qu'un couple de notre groupe avait par inadvertance oublié de rapporter la clé de son appartement.
>
> «Je vais être obligé de vous faire payer 25 dollars pour la clé perdue», dit le réceptionniste.
>
> Je dois admettre ma surprise, car nous étions clients depuis huit ans et nous avions dépensé des milliers de dollars pendant la semaine qui venait de s'écouler. «Écoutez», lui dis-je, «je comprends que vous ayez un règlement à propos des clés perdues, mais la clé est dans leur chambre. Et s'il nous faut remonter la chercher, nous allons rater notre avion. Vous pourriez peut-être simplement oublier les 25 dollars?
>
> – Non», répondit-il, «selon le règlement, je dois les ajouter à votre note.» Même si je lui ai rappelé que nous étions de bons clients et que je n'appréciais guère le supplément à payer, il n'a pas voulu en démordre. En fait, il est devenu inflexible et moi, vraiment excédé. Calculant mentalement nos dépenses au fil

des ans, j'en ai déduit que, pour une clé de 25 dollars, il était en train de risquer de perdre une clientèle qui avait rapporté 100 000 dollars!

Finalement, nous avons réglé la note et nous sommes partis. Pendant le trajet vers l'aéroport, Nancy et moi avons parlé de l'incident. J'ai pensé que ce n'était pas vraiment la faute du réceptionniste. Le problème venait du propriétaire qui ne l'avait pas bien formé.

«Ce genre de choses me rend folle», me dit-elle. «Certains n'ont vraiment pas le sens des affaires. Je peux te citer un exemple tout à fait à l'opposé: Nordstrom. Leur personnel est incroyable. Je ne t'ai pas raconté ce qui s'est passé l'autre soir avant notre départ pour Deer Valley. Je suis allé chez Nordstrom pour acheter un pyjama à Eric. J'en ai choisi un à son goût, puis j'ai dit à la vendeuse que le pantalon avait besoin d'un ourlet mais que nous prenions l'avion de bonne heure le lendemain matin. Sans hésiter, elle m'a proposé de veiller à ce que l'ourlet soit fait et le pyjama livré chez nous le soir même.»

«Et c'est tout ce que j'ai acheté!» ajouta Nancy. Ce n'est pas comme si j'avais dépensé beaucoup d'argent. Elle a fait ça pour un simple pyjama.»

L'excellence du service dans les grands magasins Nordstrom est devenue légendaire. Tous leurs clients peuvent en témoigner. Leur personnel est exceptionnel parce que la société est bâtie sur le principe de l'*empowerment*. La philosophie de l'empowerment est résumée dans le bref énoncé suivant que tout employé reçoit à son arrivée chez Nordstrom:

**Bienvenue chez Nordstrom**
Nous sommes contents de vous avoir
dans notre société.
Notre objectif numéro un est d'offrir
à notre clientèle un service exceptionnel.
Fixez-vous des objectifs élevés
tant sur le plan personnel que professionnel.
Nous sommes convaincus
que vous êtes capable de les atteindre.
Règlement des magasins Nordstrom:
Règle n° 1: Faites appel à votre bon sens
quelle que soit la situation.
Il n'y aura pas de règles supplémentaires.

S'il vous plaît, n'hésitez pas à poser toutes vos questions à votre directeur de services, à votre directeur commercial ou à votre directeur général en tout temps.[1]

Les magasins Nordstrom accordent de l'importance aux gens, pas aux règlements. Ils croient en leurs employés, ils les encouragent à atteindre l'excellence et leur donnent la liberté d'y parvenir. Comme disait Tom Peters: «La technique ne fabrique pas des produits de qualité et ne sort pas les poubelles en temps voulu; les gens le font, les gens attentifs, ceux qui sont traités comme des adultes pouvant contribuer de façon créative.» Les cadres et le personnel du bureau de location de Deer Valley auraient tout intérêt à retenir une telle leçon.

## QUE SIGNIFIE INVESTIR AUTRUI D'EMPOWERMENT

William Wolcott, un artiste anglais, est venu à New York en 1924 pour recueillir ses impressions sur cette ville fascinante. Un matin, pendant qu'il rendait visite à un ancien collègue, il ressentit l'envie de faire une esquisse. En voyant du papier sur le bureau de son ami, il lui demanda: «Est-ce que je peux prendre ça?»

***L'empowerment change la vie de ceux que vous investissez d'empowerment, et il est rentable pour vous et pour eux.***

Son ami lui répondit: «Ce n'est pas du papier à dessin, c'est du papier d'emballage ordinaire.»

Ne voulant pas perdre son inspiration, William Wolcott prit le papier en disant; «Rien n'est ordinaire si on sait l'utiliser.» Sur ce papier ordinaire, il dessina deux esquisses.

1. *The Nordstrom Way*, pp.15-16.

Plus tard dans la même année, une de ces esquisses a été vendue 500 dollars et l'autre 1 000 dollars, une somme coquette en 1924!

Les gens influencés par quelqu'un qui les investit d'empowerment sont comme du papier entre les mains d'un artiste talentueux. Peu importe de quoi ils sont faits, ils peuvent devenir précieux.

La capacité d'investir autrui d'empowerment est une des clés de la réussite personnelle et professionnelle. John Craig remarquait: «Peu importe combien vous pouvez travailler et combien votre personnalité est engageante, vous ne pouvez pas aller bien loin en affaires si vous ne savez pas travailler en passant par les autres.» Et le chef d'entreprise J. Paul Getty affirmait: «Cela n'apporte pas grand-chose qu'un cadre ait beaucoup de connaissances et d'expérience; s'il est incapable d'obtenir des résultats en passant par les autres, il ne vaut pas grand-chose.»

***En investissant les gens d'empowerment, non seulement vous les influencez, mais vous influencez aussi tous ceux qu'ils influencent.***

En procédant à l'empowerment, vous travaillez avec les gens et vous passez par eux, mais vous faites bien plus. Vous leur permettez d'atteindre les niveaux les plus élevés de leur développement personnel et professionnel. Pour le définir simplement, l'empowerment consiste à influencer les gens pour favoriser la croissance personnelle et organisationnelle. Il s'agit de partager ce que vous êtes avec les gens – votre influence, votre poste, votre pouvoir et vos bonnes occasions – pour investir dans leur vie afin qu'ils donnent le meilleur d'eux-mêmes. C'est voir leur potentiel, partager vos ressources avec eux et leur montrer que vous croyez totalement en eux.

Sans le savoir, vous êtes peut-être déjà en train d'investir d'empowerment des gens de votre entourage. Quand vous confiez une décision importante à votre conjoint et le soutenez avec entrain, c'est de l'empowerment. Quand vous décidez que votre enfant est prêt à traverser la rue tout seul et lui en donnez la permission, vous l'investissez d'empowerment. Quand vous déléguez un travail exigeant à un employé et lui donnez le pouvoir dont il a besoin pour le mener à bien, vous l'investissez d'empowerment.

L'empowerment change la vie de ceux que vous investissez d'empowerment, et il est rentable pour vous et pour eux. Déléguer une partie de votre autorité n'a rien à voir avec donner quelque chose de matériel, comme votre voiture par exemple. Si vous donnez votre voiture, vous êtes coincé, vous n'avez plus de moyen de transport. Mais l'empowerment a le même effet que le partage de l'information: on ne perd rien. On augmente la capacité d'autrui sans se diminuer soi-même.

## COMPÉTENCES REQUISES POUR PROCÉDER À L'EMPOWERMENT

On a presque tous le potentiel nécessaire pour investir les autres d'empowerment, mais on ne peut pas le faire avec tout le monde. Le processus fonctionne seulement à certaines conditions. Il faut avoir:

### *Le poste*

Vous ne pouvez pas investir d'empowerment des gens dont vous n'êtes pas le leader. Le spécialiste en leadership Fred Smith expliquait: «Qui peut donner à quelqu'un la permission de réussir? Une personne qui a de l'autorité. Les autres peuvent l'encourager, mais la permission vient seulement d'une figure d'autorité: un parent, un patron ou un pasteur.»

Vous pouvez encourager et motiver ceux que vous rencontrez. Vous pouvez favoriser le développement de ceux dont vous êtes le mentor ou les aider à naviguer. Mais pour investir les gens d'empowerment, vous devez être en situation d'autorité par rapport à eux. Parfois, cette situation n'a pas besoin d'être formelle ou officielle, mais d'autres fois oui. Si un jour nous allons au restaurant avec vous, par exemple, et que le service nous semble trop lent, nous ne pourrons jamais vous donner le pouvoir d'aller en cuisine préparer notre repas. Nous ne sommes pas autorisés à le faire, nous ne pouvons donc sûrement pas déléguer cette autorité. Pour investir les gens d'empowerment, il faut avant tout être en situation d'autorité par rapport à eux.

### *La relation*

En second lieu, il faut avoir des liens avec ceux qu'on veut investir d'empowerment. Thomas Carlyle, un écrivain du XIX^e siècle, disait: «Un grand homme partage sa grandeur à la façon dont il traite les petites gens.» Même si ceux que vous voulez investir d'empowerment ne sont pas «petits», ils pourront être amenés à se sentir tels si vous n'accordez aucune valeur à votre relation avec eux.

Il paraît que les liens se forgent et ne se forment pas tout seuls. Il faut du temps et une expérience commune. Si vous vous êtes efforcé de créer des liens avec les gens, comme nous en avons parlé dans le chapitre précédent, quand vous en serez rendu à les investir d'empowerment, votre relation devrait être suffisamment solide pour vous permettre de les diriger. Et pendant le processus, n'oubliez jamais ce qu'a écrit Ralph Waldo Emerson: «Tout être humain a le droit d'être valorisé par ce qu'il est dans ses meilleurs moments.» En accordant de la valeur aux gens et à votre relation avec eux, vous posez les assises qui vous permettront de les investir d'empowerment.

### *Le respect*

La relation établie donne aux gens l'envie d'être avec vous, mais le respect leur donne envie d'être investi d'empowerment par vous. Le respect mutuel est indispensable au processus d'empowerment. Le psychiatre Ari Kiev l'a résumé ainsi: «Si vous souhaitez que les autres vous respectent, vous devez leur montrer que vous les respectez... Tout le monde veut avoir l'impression de compter pour quelque chose et d'être important pour quelqu'un. Les gens donnent immanquablement leur amour, leur respect et leur attention à celui qui répond à ce besoin. Considérer les gens montre généralement qu'on a foi en soi et en autrui.» Quand vous croyez aux gens, que vous prenez soin d'eux et leur faites confiance, ils le sentent. Et votre respect les incite à vous suivre là où vous les mènerez.

### *L'engagement*

La dernière qualité nécessaire à un leader pour procéder à l'empowerment est l'engagement. Le haut dirigeant de l'armée de l'air américaine Ed McElroy soulignait: «... l'engagement nous donne une nouvelle force. Peu importe ce qui arrive – maladie, pauvreté ou catastrophe –, nous ne perdons jamais notre objectif de vue.» Le processus d'empowerment n'est pas toujours facile, en particulier quand vous l'entreprenez pour la première fois. C'est une route pleine d'embûches et de déviations. Mais elle vaut le voyage parce que les récompenses sont tellement grandes.

Comme le disait Edward Deci de l'université de Rochester: «Pour s'engager dans une tâche, il faut croire qu'elle vaut la peine d'être entreprise.» Si vous avez besoin qu'on vous rappelle la valeur de l'empowerment, pensez à ce qui suit: en investissant les gens d'empowerment, non seulement vous les influencez, mais vous influencez aussi tous ceux qu'ils influencent. Quel impact!

Si vous êtes en situation d'autorité sur les gens, si vous avez créé des liens avec eux, si vous les respectez et que vous vous êtes engagé à procéder à l'empowerment, vous êtes *en mesure* de les investir d'empowerment. Mais il vous faut un autre élément crucial. Vous devez avoir la bonne attitude.

Beaucoup de gens ne procèdent pas à l'empowerment par crainte. Ils ont peur de se faire prendre leur emploi par ceux dont ils sont le mentor. Ils ne veulent pas être remplacés ou déplacés, même si cela signifie monter dans la hiérarchie et laisser leur place à quelqu'un dont ils sont le mentor. Ils ont peur du changement. Pourtant, il fait partie de l'empowerment – pour vous et pour ceux que vous investissez d'empowerment. Si vous désirez vous élever, vous devez être prêt à laisser tomber certaines choses.

Si vous ne savez pas très bien où vous en êtes quant à votre attitude face aux changements causés par l'empowerment, répondez aux questions suivantes:

QUESTIONS À VOUS POSER
AVANT D'ENTREPRENDRE L'EMPOWERMENT

1. Est-ce que je crois aux gens et suis-je persuadé qu'ils sont le meilleur atout de mon organisation?
2. Est-ce que je crois que l'empowerment permet d'accomplir davantage que les réalisations individuelles?
3. Est-ce que je recherche activement des leaders à investir d'empowerment?
4. Serais-je prêt à mener les autres à un niveau de leadership plus élevé que le mien?
5. Serais-je prêt à consacrer du temps à des gens qui ont un potentiel de leader?
6. Serais-je prêt à laisser les autres obtenir le mérite de ce que je leur ai enseigné?
7. Est-ce que je permets aux autres d'exprimer librement leur personnalité et d'utiliser leurs propres méthodes, ou est-ce que je veux tout contrôler?
8. Serais-je prêt à déléguer publiquement mon autorité et mon influence à des leaders potentiels?
9. Serais-je prêt à laisser les autres me prendre mon emploi?
10. Serais-je prêt à passer le relais du leadership à ceux que j'ai investis d'empowerment et à les encourager vraiment?

Si vous répondez par la négative à quelques-unes de ces questions, il va peut-être falloir réviser votre attitude. Vous devez croire suffisamment aux autres pour leur donner tout ce que vous pouvez et croire assez en vous pour savoir que vous n'en souffrirez pas. Rappelez-vous simplement que tant et aussi longtemps que vous continuerez à progresser et à vous développer, vous aurez toujours quelque chose à donner et il est inutile d'avoir peur qu'on prenne votre place.

## COMMENT PROCÉDER À L'EMPOWERMENT POUR QUE LES GENS RÉALISENT LEUR POTENTIEL

Une fois que vous êtes sûr de vous et des gens que vous désirez investir d'empowerment, vous êtes prêt à entreprendre le processus. Il faudrait d'abord vous donner pour objectif de leur confier des tâches relativement mineures et simples, et d'augmenter progressivement leur responsabilité et leur autorité. Plus les gens avec qui vous travaillez sont inexpérimentés, plus le processus sera long. Mais peu importe que ce soit des jeunes recrues ou des employés chevronnés, il est toujours important de les accompagner tout au long du processus. Voici les étapes qui vous serviront de balises:

### *1. Évaluez-les*

Il faut commencer par évaluer les gens que vous voulez investir d'empowerment. Si vous donnez trop vite trop d'autorité à des gens inexpérimentés, ils risquent d'échouer. Si vous prenez trop de temps avec des gens très expérimentés, vous risquez de les frustrer et de les démoraliser.

Quand les leaders jugent mal les capacités des autres, le résultat est parfois comique. Nous avons lu, par exemple, un incident survenu à Albert Einstein illustrant ce propos. En 1898, monsieur Einstein s'est vu refuser son admission à l'Institut technique de Munich parce qu'on jugeait qu'il «ne vaudrait jamais grand-chose». Par conséquent, au lieu d'étudier, il a travaillé comme inspecteur au Bureau des brevets à Berne, en Suisse. Et il a consacré le temps qu'il lui restait à écrire et approfondir sa théorie de la relativité.

N'oubliez jamais que nous sommes tous dotés d'un potentiel de réussite. Votre tâche est de voir ce potentiel, de trouver ce qui manque aux gens pour le réaliser, et de leur fournir ce dont ils ont besoin. Pour évaluer ceux que vous désirez investir d'empowerment, considérez les domaines suivants:

- **Les connaissances**. Réfléchissez à ce que les gens doivent savoir pour accomplir la tâche que vous avez l'intention de leur confier. Ne tenez pas pour acquis qu'ils ont les mêmes connaissances que vous. Posez-leur des questions. Faites-leur un historique ou donnez-leur un aperçu de la situation. Montrez-leur comment ce qu'ils font va s'inscrire dans les objectifs et la mission de l'organisation. Les connaissances ne sont pas seulement une source de pouvoir, elles permettent de procéder à l'empowerment.
- **Les aptitudes**. Examinez leur niveau d'aptitude. Rien n'est plus frustrant que d'avoir à accomplir une tâche qu'on est incapable de remplir. Observez ce qu'ils ont fait avant ainsi que ce qu'ils font actuellement. Certaines aptitudes sont innées. D'autres s'apprennent grâce à la formation ou à l'expérience. Votre rôle consiste à découvrir les exigences de la tâche et à vous assurer que les gens ont ce qu'il faut pour réussir.
- **Le désir**. Le philosophe grec Plutarque notait: «S'il n'est pas cultivé, même le sol le plus riche produira une abondance de mauvaises herbes. Peu importe l'étendue des aptitudes, des connaissances ou du potentiel, rien ne peut aider celui qui n'a pas le désir de réussir. Mais quand ce désir existe, l'empowerment est facile. Comme l'écrivait l'essayiste français du XVIIe siècle Jean de La Fontaine: «L'homme est ainsi fait: dès que son âme s'enflamme pour quelque chose, rien n'est impossible.»

### *2. Servez-leur de modèle*

Même s'ils ont les connaissances, les aptitudes et le désir, les gens ont besoin de savoir ce qu'on attend d'eux. Le meilleur moyen de les en informer, c'est de le leur montrer. Les gens font ce qu'ils voient. Une parabole à propos d'un garçon de ferme qui vivait dans les régions montagneuses du

Colorado illustre ce fait. Un jour, en grimpant en haut d'un pic, le garçon trouva un nid d'aigles rempli d'œufs. En l'absence de l'aigle, il déroba un des œufs, il le ramena à la ferme et le mit sous une poule en train de couver.

Une fois tous les œufs éclos, l'aiglon n'avait aucune raison de croire qu'il était autre chose qu'un poussin. Il faisait donc ce que tout ce que font les poulets dans une ferme. Il parcourait la cour en grattant la terre pour trouver des graines, il tentait de son mieux de glousser et il gardait ses pattes fermement ancrées dans le sol, même si la clôture du poulailler ne mesurait qu'un ou deux mètres de hauteur.

Cela continua ainsi jusqu'à ce qu'il dépasse par sa taille ses présumés frères et sœurs, et sa mère adoptive. Puis un jour, un aigle passa au-dessus du poulailler. Le jeune aigle entendit son cri et le vit fondre sur un lapin dans un champ. C'est alors qu'il sut au fond de son cœur qu'il n'était pas comme les poulets de la ferme. Il étendit ses ailes et, avant même de s'en rende compte, il volait à la poursuite de l'autre aigle. Jusqu'à ce qu'il ait vu un oiseau de son espèce voler, il ignorait qui il était et ce dont il était capable.

Les gens que vous désirez investir d'empowerment ont besoin de voir à quoi cela ressemble de voler. En tant que mentor, vous êtes le mieux placé pour le leur montrer. Servez-leur de modèle en affichant l'attitude et l'éthique professionnelles que vous voudriez les voir adopter. Et chaque fois que vous pouvez les intégrer dans votre travail, prenez-les avec vous. C'est le meilleur moyen de les aider à apprendre et à comprendre ce que vous attendez d'eux.

### *3. Donnez-leur la permission de réussir*

En tant que leader et source d'influence, vous pensez peut-être que tout le monde, comme dans votre cas sans doute, veut le succès et s'efforce automatiquement de l'obtenir. Mais tous ceux que vous influencez ne pensent pas comme vous. Vous devez aider les autres à croire qu'ils peuvent réussir et leur montrer que vous voulez qu'ils y parviennent. Comment faire?

- **Attendez-vous à ce qu'ils réussissent**. L'auteur et conférencier Danny Cox donnait le conseil suivant: «L'essentiel à retenir, c'est qu'en l'absence d'un enthousiasme stimulant et contagieux, tout autre sentiment sera contagieux.» Les gens peuvent percevoir votre attitude sous-jacente, peu importe ce que vous dites ou ce que vous faites. Si vous espérez vraiment qu'ils réussissent, ils le sauront.
- **Verbalisez votre confiance**. Les gens ont besoin de vous entendre leur dire que vous croyez en eux et désirez leur succès. Dites-leur souvent que vous savez qu'ils réussiront. Envoyez-leur des petits mots d'encouragement. Faites-vous le prophète de leur succès.
- **Réaffirmez vos attentes**. On ne peut jamais en faire trop pour montrer aux gens qu'on croit en eux. Le spécialiste en leadership Fred Smith est un adepte du renforcement positif: «Quand je reconnais le succès», dit-il, «j'essaie d'élargir l'horizon des gens. Je pourrais dire: «C'est formidable!», mais je ne m'en tiens pas là. Le lendemain, je pourrais retourner les voir et leur répéter le compliment en ajoutant: «L'année dernière, vous seriez-vous cru capable de faire une telle chose? Vous pourriez être surpris par ce que vous serez capables d'accomplir l'année prochaine.»»

Une fois que les gens reconnaissent et comprennent que vous voulez sincèrement qu'ils réussissent et que vous vous êtes engagé à les aider, ils commenceront à se croire aptes à accomplir ce que vous leur donnez à faire.

### *4. Partagez votre autorité*

Partager votre autorité – et votre influence – avec ceux dont vous êtes le mentor et dont vous favorisez le développement est au cœur même de l'empowerment. Beaucoup de gens sont prêts à donner des responsabilités et délèguent des tâches avec joie. Mais l'empowerment, c'est plus que partager une charge de travail. C'est partager votre pouvoir et votre compétence pour que les tâches soient accomplies.

Le spécialiste en management Peter Drucker affirmait: «Aucun cadre n'a jamais souffert de la force et de l'efficacité de ses subordonnés.» Les gens deviennent forts et efficaces uniquement quand on leur donne l'occasion de prendre des décisions et des initiatives, de résoudre des problèmes et de relever des défis. Quand vous procédez à l'empowerment, vous permettez aux gens de développer leur aptitude à travailler de façon autonome sous votre autorité. Voici l'opinion de W. Alton Jones: «Celui qui obtient les résultats les plus satisfaisants n'est pas toujours l'homme le plus intelligent, mais plutôt celui qui sait le mieux coordonner l'intelligence et le talent de ses associés.»

Quand vous entreprenez l'empowerment, donnez à votre personnel des défis que vous les savez capables de relever. Cela les rendra confiants et leur donnera l'occasion d'essayer leur nouvelle autorité et d'apprendre à s'en servir sagement. Et, une fois qu'ils commencent à être efficaces, confiez-leur des dossiers plus ardus. En règle générale, si quelqu'un peut accomplir 80% de votre tâche aussi bien que vous, déléguez. Finalement, votre objectif est de tellement bien investir les gens d'empowerment qu'ils pourront relever à peu près n'importe quel défi. Et avec le temps, ils agrandiront leur propre sphère d'influence et n'auront plus besoin de la vôtre pour être efficaces.

### *5. Affichez publiquement votre confiance en eux*

Quand vous commencez à partager votre autorité avec les gens que vous investissez d'empowerment, vous devez leur dire que vous croyez en eux, et il faut le faire publiquement. Cette reconnaissance officielle leur indique que vous croyez en leur réussite. Cela montre également à leurs collègues qu'ils ont votre soutien. C'est une manière tangible de partager (et d'étendre) votre influence.

John sait particulièrement bien investir les gens d'empowerment et leur montrer publiquement sa confiance. Il nous raconte une histoire intéressante à propos d'un de ses plus grands succès en matière d'empowerment:

> J'ai mentionné dans le chapitre précédent que Dan Reiland avait travaillé avec moi pendant 15 ans. Quand il a commencé, il était un stagiaire fraîchement diplômé du troisième cycle. Il avait beaucoup de talent, mais encore certains côtés à affiner. J'ai pas mal travaillé avec lui – je lui ai servi de modèle, de motivateur et de mentor – et en peu de temps, il s'avéra un excellent pasteur.
>
> En quelques années seulement, il est devenu un de mes associés les plus précieux. Quand nous avions besoin de créer et d'implanter un nouveau programme, je m'adressais souvent à Dan. Je lui déléguais la tâche en lui donnant toute ma confiance et mon autorité. Et il s'en chargeait très bien. Chaque fois que je lui confiais un projet important, il l'élaborait entièrement, l'implantait, formait des leaders pour le mener à bien, puis il revenait me voir pour que je lui confie un autre projet. Il réussissait toujours à ce que le projet fonctionne sans lui.
>
> En 1989, environ six ou sept ans après que Dan ait commencé à travailler pour moi, j'ai fini par me rendre compte que j'avais besoin d'engager un pasteur exécutif, une sorte de directeur administratif. Et j'ai tout de suite su que je voulais Dan à ce poste.
>
> Je n'étais pas sans savoir qu'un leader issu du rang pouvait susciter du ressentiment et de la résistance chez ses collègues. Mais j'avais une stratégie. Quand j'ai commencé à partager mon autorité avec Dan, j'ai fait tout mon possible pour ne pas rater une occasion de le louer publiquement, de montrer que j'avais confiance en lui, et de rappeler à tout le monde qu'il était investi de mon autorité. Par conséquent, le reste du personnel s'est vite rallié autour de lui. L'empowerment en avait fait un nouveau leader.

Quand vous formez des leaders, montrez-leur à eux et à ceux qui les suivent que vous leur avez délégué votre autorité et que vous leur faites pleinement confiance. Et vous vous apercevrez que l'empowerment les mènera vite au succès.

### *6. Donnez-leur du «feed-back»*

Même s'il faut louer publiquement vos leaders, vous ne pouvez les laisser aller trop longtemps sans leur donner une rétroaction honnête et positive. Rencontrez-les en privé pour discuter avec eux de leurs erreurs, de leurs faux pas et de leurs évaluations erronées. Au début, certains peuvent éprouver de la difficulté. Pendant cette première période, soyez magnanime. Essayez de leur donner ce dont ils ont besoin et non ce qu'ils méritent. Et applaudissez chacun de leurs progrès. Les gens font ce qui est apprécié.

### *7. Laissez-les libres de continuer sans vous*

Peu importe qui vous êtes en train d'investir d'empowerment – vos employés, vos enfants, vos collègues ou votre conjoint – votre but ultime devrait être de leur permettre de prendre de bonnes décisions et de réussir sans vous. Et cela signifie leur donner le plus de liberté possible dès qu'ils sont prêts à l'assumer.

Le président Abraham Lincoln était maître dans l'art d'investir ses leaders d'empowerment. Par exemple, quand il a nommé le général Ulysses S. Grant commandant des armées de l'Union, en 1864, il lui a adressé le message suivant: «Je ne vous demanderai jamais rien sur vos plans et je ne désire pas les connaître. Prenez-en la responsabilité, agissez en conséquence et venez me voir si vous avez besoin de mon aide.»

C'est l'attitude à adopter pour procéder à l'empowerment. Donnez de l'autorité et des responsabilités, et offrez votre aide en cas de besoin. John et moi avons eu la chance d'avoir été investis d'empowerment par des personnes clés depuis notre enfance. Pour John, c'est sans doute son père, Melvin Maxwell, qui a été le plus important. Il a toujours encouragé John à devenir le meilleur possible, lui a donné sa permission et délégué son pouvoir chaque fois qu'il l'a pu. Des années plus tard, au cours d'une discussion à ce sujet, Melvin a expliqué sa philosophie à son fils: «Je ne t'ai jamais consciemment imposé de limites tant et aussi longtemps que ce que tu faisais était conforme à la morale.» Quelle merveilleuse attitude d'empowerment!

## LES RETOMBÉES DE L'EMPOWERMENT

Quel que soit le genre d'organisation que vous dirigez – une entreprise, un club, un ministère ou une famille – apprendre à investir les gens d'empowerment est une des choses les plus importantes que vous aurez jamais à faire à titre de leader. L'empowerment donne un retour sur investissement absolument incroyable. Non seulement cela aide les gens que vous formez à devenir plus confiants, plus dynamiques et plus productifs, mais cela peut également améliorer votre vie, vous donner plus de liberté, et favoriser la croissance et la santé de votre organisation.

Farzin Madjidi, un agent de liaison de la ville de Los Angeles, exprimait ainsi sa foi en l'empowerment: «On a besoin de leaders qui procèdent à l'empowerment et créent d'autres leaders. Cela n'est plus suffisant pour un cadre de s'assurer que tous les employés ont quelque chose à faire et sont productifs. De nos jours, tous les employés doivent devenir «partenaires» et s'approprier tout ce qu'ils font. Pour encourager cela, il est important qu'ils puissent prendre les décisions qui les concernent le plus directement. C'est ainsi que se prennent les meilleures décisions. C'est l'essence même de l'empowerment.» En dernière analyse, le leadership favorable à l'empowerment est parfois le seul avantage réel d'une organisation sur les autres dans notre société compétitive.

En procédant à l'empowerment, vous noterez une amélioration dans la plupart des aspects de votre vie. L'empowerment peut vous libérer personnellement et vous donner plus de temps pour des choses qui vous tiennent à cœur. Il peut accroître l'efficacité de votre organisation, étendre votre sphère d'influence et, par-dessus tout, avoir un impact incroyablement positif sur la vie de ceux que vous investissez d'empowerment.

Jim a récemment reçu une lettre de Mitch Sala, un homme dont il a été le mentor pendant plusieurs années et qu'il a motivé et investi d'empowerment. Voici sa lettre:

*Cher Jim,*

*Je sais que vous êtes en train de rédiger un livre sur l'influence et je ressens le besoin de vous écrire pour vous exprimer mon profond respect et mon amour, à Nancy et à vous, et vous dire l'immense impact que vous avez eu sur mon existence.*

*Votre influence a commencé avant même qu'on se rencontre, la première fois que j'ai écouté vos cassettes. Votre vision, votre attitude positive et votre foi engagée m'ont inspiré, et la capacité de Nancy à remettre la vie et ses obstacles à leur juste place m'a aidé à voir mon univers sous un jour nouveau.*

*En vous observant, j'ai perçu une qualité d'être exceptionnelle. C'était quelque chose que j'admirais et que je désirais pour moi-même. Cela m'a donné envie de mieux vous connaître et de créer des liens avec vous. Je n'avais jamais eu d'amis proches auparavant, c'était donc nouveau pour moi. Vous savez, j'ai grandi en Afrique, dans la forêt où mon père dirigeait une grande scierie. Mon frère et ma sœur aînés étaient dans une école loin de là, j'ai donc grandi quasiment sans enfants autour de moi. J'étais en quelque sorte un solitaire. Quand j'ai eu huit ans, on m'a envoyé dans une école traditionnelle, un pensionnat. Ce fut bon pour mon éducation, mais mauvais pour mon image de soi. Cela m'a laissé le sentiment d'être un perdant.*

*Une fois devenu adulte, ce sentiment m'a poussé à travailler fort et à essayer de faire mes preuves mais, peu importe ce que je faisais, je ressentais encore un vide en moi. Et j'échouais dans ce qui comptait le plus pour moi: être un bon mari et un bon père de famille.*

*Mais vous êtes venu influencer ma vie au bon moment. Vous m'avez compris et permis de me sentir accepté malgré mes erreurs et mes faiblesses. Vous m'avez aidé à améliorer ma vie familiale, financière et spirituelle. Tout a changé dans mon existence.*

L'influence positive de Jim a aidé Mitch Sala à transformer sa vie. Jim l'a amené à suivre tout le processus. Il lui a servi de modèle d'intégrité, de motivateur et de mentor. Il l'a investi d'empowerment. Et, au fil des ans, Mitch est devenu un personnage influent d'envergure internationale. Avec ses sociétés commerciales et ses conférences, Mitch touche la vie de centaines de milliers de personnes chaque année dans plus de 20 pays partout au monde. Et, par-dessus tout, il emploie son influence pour former d'autres leaders qui apprennent comment avoir un impact positif sur la vie de beaucoup d'autres gens. Son influence a eu un effet multiplicateur parce qu'il est passé par les autres, ce qui est le sujet du dernier chapitre.

Liste de contrôle de votre influence
**PROCÉDER À L'EMPOWERMENT**

- ❑ **Donnez-leur plus qu'une simple tâche à accomplir.** Si vous dirigez une entreprise, un service, une famille, un ministère ou tout autre genre d'organisation, vous vous préparez probablement à déléguer certaines de vos responsabilités. Avant de passer officiellement le relais, planifiez votre stratégie avec soin en utilisant le questionnaire suivant:

Décrivez la tâche à accomplir: ______________________

Nom de la personne à qui vous la confiez: ______________________

______________________________________________

Quelles sont les connaissances nécessaires pour accomplir cette tâche?: ______________________

| | | |
|---|---|---|
| La personne a-t-elle les connaissances requises? | Oui | Non |

Quelles sont les compétences nécessaires pour effectuer cette tâche: ______________________

| | | |
|---|---|---|
| La personne a-t-elle les compétences requises? | Oui | Non |
| Lui avez-vous montré comment faire le travail? | Oui | Non |
| Lui avez-vous donné la permission de réussir et l'autorité pour y parvenir? | Oui | Non |
| Lui avez-vous montré publiquement que vous avez confiance en elle? | Oui | Non |
| Lui avez-vous donné du «feed-back» en privé? | Oui | Non |
| Avez-vous fixé une date où vous lui donnerez la liberté de continuer sans vous? | Oui | Non |

Reprenez ce processus chaque fois que vous avez une tâche à déléguer, jusqu'à ce que cela devienne une seconde nature. Même si une personne investie d'empowerment réussit bien et obtient la reconnaissance de son succès, continuez à la louer, à l'encourager et à montrer publiquement que vous avez confiance en elle.

Chapitre 10

## *Une personne d'influence*

# GÉNÈRE D'AUTRES PERSONNES INFLUENTES

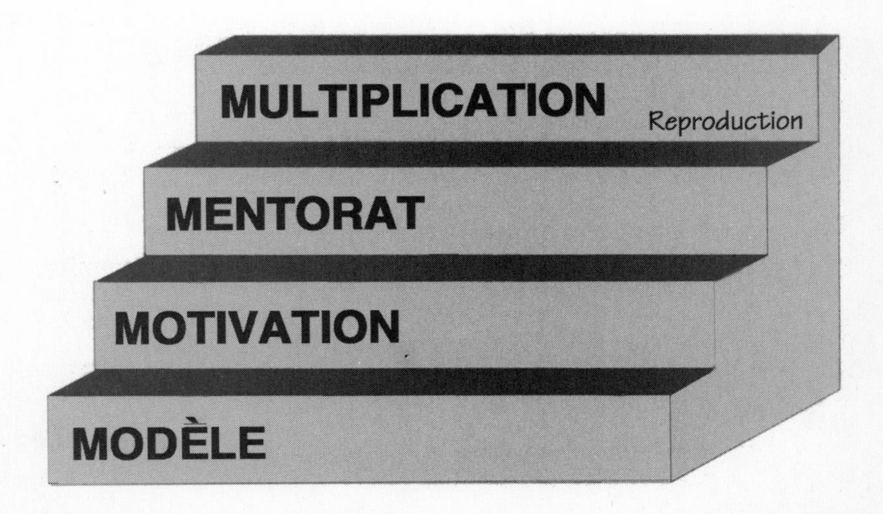

Au début de ce livre, nous vous avons parlé de personnes influentes et, en particulier, de celles qui ont eu un impact dans notre vie, comme Glenn Leatherwood, l'enseignant à l'école du dimanche de John quand il était en septième année, et Jerry et Patty Beaumont, qui ont pris Jim et Nancy sous leur aile à la naissance d'Eric. Notre vie est riche en personnes influentes merveilleuses. Mais ce qui a donné le plus de valeur à notre existence, c'est le fait que non seulement des gens nous ont influencés, mais ils nous ont aussi permis de devenir nous-mêmes influents. Dans le cas de John, c'est son père Melvin Maxwell qui l'a le plus façonné et lui a servi de modèle, l'aidant à devenir un leader remarquable. Et dans le cas de Jim, cette place revient probablement à Rich DeVos:

> J'ai grandi dans une famille formidable, pleine d'amour, même si nous n'étions pas très riches. En matière de politique et d'économie, mon père avait des opinions très libérales et il m'a conseillé d'étudier et de trouver un bon emploi. Mais dans la vingtaine, j'ai entendu pour la première fois une conférence de Rich DeVos, et il m'a, pour ainsi dire, hypnotisé. Il m'a fait découvrir un paradigme tout à fait nouveau. Il a parlé de la libre entreprise et de la valeur de l'individu, des rêves, de la liberté et du «capitalisme avec compassion[1]». Il a aussi évoqué sa foi en Dieu et encouragé les gens à vivre avec intégrité et passion. C'était la première fois que j'entendais une philosophie aussi sensée que son simple message sur l'accomplissement personnel. Cela m'a transformé à tout jamais.

De nos jours, Rich DeVos est bien sûr un des hommes d'affaires les plus influents du monde. Fondateur et ancien président d'Amway, il est le propriétaire du Magic d'Orlando, de l'Association nationale de basket-ball et le président de

---

1. *Le Capitalisme avec compassion* a été publié aux éditions Un monde différent en 1994.

Gospel Films et de la fondation DeVos; des présidents et d'autres leaders influents lui demandent fréquemment conseil sur des questions d'affaires. Jim l'a respecté en tant que leader et mentor, puis au fil des ans, il en est venu à le considérer comme son ami.

Rich DeVos comprend le bien-fondé de former des leaders, des gens qui pourront eux-mêmes influencer les autres. D'une certaine façon, enseigner aux autres à devenir des leaders, c'est comme passer le bâton dans une course de relais. Si on court bien, mais qu'on est incapable de passer le relais à un autre coureur, on perd la course. Mais si on court bien, qu'on recrute et forme d'autres bons coureurs, et qu'on leur apprend à passer le relais en douceur, on peut gagner. Et, en matière d'influence, si on est capable de passer continuellement le relais, l'effet multiplicateur est incroyable.

## LE POUVOIR DE L'EFFET MULTIPLICATEUR

Dans le travail que nous avons tous deux mené auprès des gens, nous avons dû apprendre à passer le relais. Nous n'aurions jamais pu réussir sans cela. Et nous voulons maintenant vous le passer à vous. Si vous avez réussi à franchir les étapes du processus qui permet de devenir influent, vous avez appris comment participer à la course. Vous comprenez combien il est important pour vous d'être un modèle d'intégrité. Vous avez appris à motiver les gens en prenant soin d'eux, en croyant eux, en les écoutant, et en les comprenant. Vous saisissez que le mentorat est indispensable à leur développement. Il faut favoriser leur développement, leur servir de navigateur pour traverser les difficultés de la vie, créer des liens avec eux et les investir d'empowerment. Vous êtes maintenant en mesure de faire une bonne course. Et si vous êtes un mentor, vous avez aussi entraîné d'autre gens à courir. Mais il est temps de passer le relais, sinon, la course s'arrêtera là. Ils n'auront plus de raison de continuer à courir et l'élan prendra fin avec eux.

C'est pourquoi la phase de reproduction de l'influence est tellement significative. Considérez les retombées dont bénéficiera votre organisation si vous créez des leaders capables non seulement de vous suivre, mais aussi d'influencer d'autres personnes et de les former:

- **Engendrer des leaders étend votre sphère d'influence**. Chaque fois que vous influencez des gens qui n'exercent pas ou ne peuvent pas exercer d'influence sur les autres, vous limitez votre propre influence. Mais quand vous influencez des leaders, votre influence s'étend à tous ceux qu'ils influencent eux-mêmes. C'est un effet multiplicateur. (Ce concept est traité plus en détail dans le livre de John, *Développez votre leadership*[1]). Plus votre influence est grande, plus vous pouvez aider de gens.
- **Engendrer des leaders augmente le potentiel des nouveaux leaders**. Chaque fois que vous aidez quelqu'un à devenir un meilleur leader, vous augmentez son potentiel. Le leadership est ce qui libère la capacité de rendement et d'influence. Quand on agit de façon indépendante sans exercer de leadership, on plafonne rapidement dans ce qu'on peut accomplir, à la fois sur le plan personnel et professionnel. Mais dès qu'on comprend le leadership et qu'on commence à en appliquer les principes, on libère le potentiel individuel de chacun. Et si les gens deviennent des leaders de leaders, ce qui peut être accompli est somme toute illimité ou presque.
- **Engendrer des leaders multiplie les ressources**. Plus vous formerez de leaders, plus vous vous apercevrez que la valeur de vos ressources augmente. Vous disposez de plus de temps parce que vous pouvez partager votre tâche et déléguer de plus en plus d'autorité. En apprenant à devenir des leaders, vos employés deviennent plus avisés et leurs conseils plus précieux. Et de surcroît, presque tous ceux que vous avez formés se montrent loyaux à votre égard.

---

1. Publié aux éditions Un monde différent en 1996.

- **Engendrer des leaders assure un avenir prometteur à votre organisation**. G. Alan Bernard, le président de Mid Park, Inc., ramène la question de la formation de leaders à sa juste valeur: «Un bon leader s'entourera toujours de gens meilleurs que lui pour certaines tâches. C'est le propre du leadership. Ne craignez jamais d'embaucher ou de diriger des gens qui vous surpassent dans certains domaines. Ils ne peuvent que renforcer votre organisation.» Non seulement on renforce l'organisation en formant des leaders, mais on lui assure un meilleur avenir. Si seules quelques personnes sont capables de diriger, l'organisation ne pourra pas s'épanouir si elles prennent leur retraite ou s'il leur arrive quelque chose. Elle ne sera peut-être même pas capable de survivre.

En 1995, John a eu l'occasion de voir exactement ce qui se passe quand un dirigeant part après avoir formé et investi d'empowerment plusieurs leaders forts au sein de son organisation. Après avoir assuré le leadership et formé des leaders pendant 14 ans à l'église Skyline Wesleyan, John a démissionné de son poste de pasteur supérieur. Il a quitté ses fonctions pour pouvoir se consacrer à plein temps à son organisation INJOY, qui offre des séminaires et des ressources destinées à favoriser le leadership et le développement personnel. Qu'est-il arrivé après son départ? Skyline se porte à merveille. En fait, environ un an après son départ, John a reçu un message de Jayne Hansen, une employée d'INJOY dont le mari, Brad, travaille à Skyline:

*Cher John,*

*J'étais en train de penser à Skyline et à sa grande réussite depuis ton départ... C'est véritablement un HOMMAGE exceptionnel aux genres de leadership et de ministère laïc que tu as développés. On a un exemple vivant et manifeste du dicton «Faites ce que vous prêchez», quand on voit le fruit de ton travail. Je peux affirmer en toute certitude que les principes que tu enseignes fonctionnent. Je ne vois pas de plus grand honneur pour un homme que de consacrer sa vie à quelque chose, de partir et de voir que cela porte ses fruits! Combien ce serait dommage de voir un ministère péricliter après le départ d'un homme, comme une grappe de raisins meurt sur la vigne.*

*Merci de nous avoir insufflé ta vie.*

*Ton amie,*
*Jayne*

Servir de mentor aux gens et développer leur potentiel de leadership peut vraiment faire une énorme différence – pour votre organisation, pour votre personnel et pour vous.

## SACHEZ QUE VOUS POUVEZ ENGENDRER DES GÉNÉRATIONS DE LEADERS

Nous avons tous en nous la possibilité de donner un effet multiplicateur à notre influence en formant et en générant d'autres leaders. Pour y parvenir, adoptez les principes suivants:

### *Dirigez bien votre propre vie*

Être capable de mener les autres commence par savoir bien se diriger soi-même. On ne peut pas transmettre ce qu'on n'a pas. Selon Truett Cathy, entrepreneur et fondateur de la chaîne de restaurants Chick-Fil-A: «La première cause d'échec pour un leader, c'est son incapacité à se diriger lui-même.»

Cette aptitude à se diriger soi-même évoque de nombreuses qualités: l'intégrité, l'autodiscipline, une attitude positive, la capacité d'établir les bonnes priorités, d'avoir une vision et de résoudre les problèmes, et ainsi de suite. Le désir de vous développer et une stratégie de croissance personnelle peuvent vous aider à cultiver ces qualités, mais vous pourriez être vous-même votre plus grand obstacle au leadership. Le psychologue Sheldon Kopp notait à ce sujet: «Toutes les plus grandes batailles se livrent à l'intérieur de soi.»

Si vous ne vous êtes pas déjà fixé un programme de croissance personnelle et de développement du leadership, commencez dès aujourd'hui. Écoutez des cassettes. Assistez à des conférences. Lisez des livres instructifs. (Le livre de John, *Développez votre leadership*, est excellent pour commencer). Si vous inscrivez votre croissance personnelle dans votre objectif hebdomadaire et dans votre discipline quotidienne, vous pourrez engendrer des leaders. Le théologien du XIXe siècle, H.P. Liddon, avait nettement perçu ce lien quand il écrivait: «Ce qu'on fait dans certaines grandes occasions dépend probablement de ce qu'on est déjà; et ce qu'on sera résulte d'années d'autodiscipline.» La croissance personnelle apporte beaucoup.

### *Recherchez constamment des leaders potentiels*

Lou Holz, l'ancien entraîneur-chef de football de Notre Dame, disait à propos d'un sujet qu'il connaissait bien: «On doit avoir de bons athlètes pour gagner, peu importe qui les entraîne.» La même chose est vraie dans la vie personnelle et professionnelle. On a besoin de bonnes personnes avec un potentiel de leader pour réussir à engendrer des leaders. Andrew Carnegie soulignait: «Celui qui veut tout faire tout seul et en retirer tout le mérite ne sera jamais un grand leader.» Ceux qui s'occupent efficacement du développement d'autrui sont toujours à la recherche de leaders potentiels.

«Quand l'élève est prêt», dit-on, «le maître apparaît.» Mais, «quand le maître est prêt, l'élève apparaît», est tout aussi vrai. Si vous continuez de développer votre leadership, vous serez bientôt prêt à développer celui des autres. Et pour bien réussir à reproduire des leaders, vous devez chercher et recruter le plus possible les meilleurs éléments.

### *Faites passer l'équipe avant tout*

Ceux qui excellent dans le développement du leadership pensent d'abord au bien de l'équipe avant de penser à eux. Selon J. Carla Northcutt, qui reçoit chaque mois les cassettes d'INJOY Life Club, le club de John: «Le but de bien des leaders est d'amener les gens à avoir une meilleure opinion de leurs leaders. L'objectif d'un grand leader est d'aider les gens à avoir une meilleure opinion d'eux-mêmes.»

Bill Russell était un basketteur talentueux. Beaucoup le considèrent comme un des meilleurs joueurs d'équipe de l'histoire du basket-ball. Bill Russell disait: «La meilleure façon de mesurer la qualité de mon jeu pendant un match, c'était de chercher en quoi j'avais permis à mes coéquipiers de mieux jouer.» C'est l'attitude indispensable pour engendrer des générations de leaders. L'équipe doit passer avant tout.

Vous considérez-vous comme un joueur d'équipe? Répondez au questionnaire suivant pour voir où vous vous situez quand il s'agit de promouvoir le bien de l'équipe:

### SEPT PISTES POUR UN BON ESPRIT D'ÉQUIPE

1. Les gens ont-ils plus de valeur grâce à moi?
2. L'organisation a-t-elle plus de valeur grâce à moi?
3. Est-ce que je me dépêche de donner le crédit aux autres quand tout va bien?
4. Notre équipe recrute-t-elle régulièrement de nouveaux membres?
5. Est-ce que j'utilise mes joueurs de «relève» autant que je le peux?
6. Les membres de l'équipe sont-ils nombreux à prendre régulièrement des décisions importantes?
7. Notre équipe attache-t-elle plus d'importance à remporter des victoires qu'à produire des vedettes?

Si vous avez répondu par la négative à quelques-unes de ces questions, il vous faut peut-être réévaluer votre attitude face à l'équipe. «Le plus grand leader est celui qui veut favoriser le développement des gens jusqu'à ce qu'ils puissent finalement le surpasser en connaissance et en compétence.» Cela devrait être votre but lorsque vous étendez votre influence en générant des leaders.

### *Prenez l'engagement de générer des leaders, et non d'amener les gens à vous suivre*

Nous croyons que notre pays connaît actuellement une crise du leadership. Nous avons vu récemment un article à ce sujet dans *New Republic*. Il disait en partie: «Il y a 200 ans, une petite république encore proche de la nature sauvage a soudain engendré des gens comme Thomas Jefferson, Alexander Hamilton, James Madison, John Adams, et les autres. Pourtant, la population n'était que de 3 millions. Aujourd'hui, nous sommes plus de 200 millions. Où sont les grands personnages? On devrait avoir 60 Benjamin Franklin dans un article-couverture sur le leadership. On les cherche en vain.»

Ralph Nader, protecteur des consommateurs et fondateur du Center for Responsive Law, déclarait: «La fonction d'un leader est de générer plus de leaders, et non pas d'amener plus de gens à le suivre.» C'est peut-être quelque chose qu'on comprenait mieux il y a 200 ans. Mais aujourd'hui, générer des leaders est rarement une priorité. Soit dit en passant, ce n'est pas toujours une tâche facile et simple, en particulier pour ceux qui sont des leaders nés. Comme le faisait remarquer le spécialiste en management Peter Drucker: «Ceux qui excellent dans un domaine peuvent rarement vous apprendre comment faire.»

C'est pourquoi il importe que la personne désirant former d'autres leaders s'engage à le faire. Nous l'avons déjà dit et nous le répétons: Tout vient et tout part du leadership. Quand vous formez des leaders et les investissez d'empowerment, cela a un impact positif sur vous, sur votre organisation, sur les gens dont vous favorisez le développement et sur tous ceux qu'ils influencent. Engendrer des leaders est la tâche la plus importante de toute personne d'influence. Pour avoir un impact, vous devez avoir pris l'engagement de générer des leaders.

## PASSER DU STATU QUO À L'EFFET MULTIPLICATEUR

Beaucoup de gens vivent en maintenant le statu quo. Leur objectif principal est d'éviter de perdre du terrain plutôt que d'essayer de progresser. Mais c'est la pire forme d'existence en matière de développement personnel. Si vous voulez avoir de l'impact, vous devez vous efforcer de produire un effet multiplicateur. Voici les cinq étapes entre le statu quo et l'effet multiplicateur, en commençant par le niveau le plus bas:

### *1. Le remue-ménage*

Environ 20% de tous les dirigeants vivent à ce niveau minimum du processus de développement. Ils ne font rien pour favoriser le développement personnel de leurs employés et, par conséquent, le pourcentage de départs bat tous les records. Ils semblent ne pouvoir garder aucun des employés qu'ils recrutent. C'est pour cela que nous l'appelons l'étape du «remue-ménage»: ils passent la plupart de leur temps à remuer ciel et terre pour remplacer les gens qu'ils ont perdus. Vous connaissez peut-être des propriétaires de petites entreprises qui semblent demeurer à ce stade. Le moral au sein de leur organisation reste bas, et ils se retrouvent rapidement épuisés.

### *2. La survie*

À ce stade, les leaders ne font rien pour favoriser le développement de leurs employés, mais ils parviennent à ne pas les perdre. Environ 50% des dirigeants fonctionnent de cette façon. Leur organisation se situe dans la moyenne, leurs employés sont insatisfaits et personne ne développe son potentiel. Cette approche du leadership n'est pas vraiment bénéfique pour qui que ce soit. Tout le monde se contente de survivre au jour le jour avec peu d'attentes ou d'espoir.

### *3. Le siphon*

Environ 10% de tous les dirigeants s'efforcent de former de meilleurs leaders parmi leurs employés, mais oublient de créer des liens avec leur personnel. Par conséquent, leurs leaders potentiels quittent l'organisation à la recherche de meilleures occasions. En d'autres mots, ils se font siphonner à l'extérieur. Cela provoque souvent de la frustration chez les dirigeants, parce que d'autres profitent de leurs efforts et ils doivent consacrer beaucoup de temps à rechercher des remplaçants.

### *4. La synergie*

Quand des leaders créent des liens solides, favorisent le développement des gens pour qu'ils deviennent de bons leaders et les investissent d'empowerment pour qu'ils réalisent leur potentiel – tout en étant capables de les garder au sein de l'organisation –, il se passe quelque chose de merveilleux. C'est ce qu'on appelle en général la synergie, c'est-à-dire que le tout est plus grand que la somme des parties parce que les parties interagissent bien entre elles et créent une énergie, un progrès et un dynamisme. Dans une organisation au stade de la synergie, le moral est exceptionnel et le travail extrêmement satisfaisant. Tout le monde en bénéficie. Environ seulement 19% de tous les dirigeants atteignent ce niveau, mais ceux qui y parviennent sont souvent reconnus comme les meilleurs leaders.

### *5. La signification*

Nombreux sont les leaders qui atteignent le stade de la synergie et n'essaient jamais d'aller plus loin parce qu'ils ne se rendent pas compte qu'ils peuvent franchir encore une autre étape et se retrouver au stade de la signification. À ce niveau, les leaders forment et génèrent des leaders qui demeurent au sein de l'organisation, travaillent pour réaliser leur potentiel et génèrent à leur tour d'autres leaders. C'est à cette étape que l'influence a vraiment un effet multiplicateur. Environ seulement 1% de tous les dirigeants atteigne ce niveau, mais ceux qui le font sont capables d'accéder à un potentiel d'influence et de croissance quasiment illimité. Une poignée de dirigeants fonctionnant constamment au niveau de la signification peut avoir un impact sur le monde entier.

## COMMENT FORMER DES LEADERS QUI GÉNÈRENT D'AUTRES LEADERS

Dans un article publié par *Harvard Business Review*, l'auteur Joseph Bailey s'interroge sur les qualités d'un dirigeant accompli. Pour sa recherche, il a interrogé plus de 30 hauts dirigeants et il a constaté que chacun d'entre eux avait appris directement d'un mentor.[1] Pour former des leaders qui généreront d'autres leaders, vous devez leur servir de mentor.

On nous a raconté que dans les salles d'urgence des hôpitaux, les infirmières ont un dicton: «Observe, passe à l'action et enseigne.» Cela fait référence au besoin d'apprendre rapidement une technique, d'être prêt à l'appliquer immédiatement sur un patient, puis de la transmettre à une autre infirmière. Le processus de mentorat pour engendrer le leadership fonctionne un peu de la même manière. Il faut prendre les leaders potentiels sous son aile, favoriser leur développement, les investir d'empowerment, partager avec eux les moyens d'exercer de l'influence, puis les laisser voler de leurs propres ailes, et former de nouveaux leaders. Chaque fois que vous faites cela, vous semez les germes d'une plus grande réussite. Et comme le conseillait le romancier Robert Louis Balfour Stevenson: «Ne jugez pas votre journée à la moisson que vous récoltez mais aux graines que vous plantez.»

Vous savez maintenant ce qu'il faut faire pour devenir une personne d'influence et jouer un rôle positif dans la vie des gens. Cela signifie:

- servir de modèle d'*intégrité* à tous ceux qui entrent en contact avec vous.
- prendre *soin* de ceux qui vous entourent pour qu'ils se sentent valorisés.
- montrer votre *foi* en eux pour qu'ils croient en eux-mêmes.
- les *écouter* afin de pouvoir bâtir une bonne relation avec eux.
- les *comprendre* afin de pouvoir les aider à réaliser leurs rêves.

---

1. Joseph Bailey, «Clues for Success in the President's Job», *Harvard Business Review* (édition spéciale), 1993.

- *favoriser leur développement* pour augmenter leur potentiel.
- *naviguer* avec eux à travers les difficultés de la vie jusqu'à ce qu'ils puissent le faire sans vous.
- *créer des liens* avec eux afin de pouvoir les amener à un niveau plus élevé.
- les *investir d'empowerment* pour leur permettre de devenir la personne qu'ils sont destinés à être.
- *générer* d'autres leaders pour que votre sphère d'influence continue de prendre de l'expansion à travers eux.

Au fil des années, Jim et moi avons travaillé fort pour faire de ce processus autre chose qu'un simple ensemble de principes ou de méthodes de travail. Nous avons tenté de faire de l'investissement en autrui une manière de vivre. Et à mesure que le temps passe, nous ne cessons pas de chercher à améliorer notre capacité à favoriser le développement personnel des gens. Notre récompense, c'est de voir l'impact que nous avons sur l'existence d'autres personnes. Jim va vous en donner un exemple:

Une des plus grandes récompenses à devenir une personne d'influence, c'est de pouvoir vraiment voir la vie des autres se transformer sous vos yeux. Dans le chapitre précédent, je vous ai parlé de Mitch Sala, que j'ai vu s'épanouir jusqu'à devenir quelqu'un d'influent. Mais ce que je ne vous ai pas dit, c'est qu'il est devenu plus que cela. Après être passé par le processus de croissance, maintenant il génère aussi beaucoup de personnes d'influence.

Un de ses plus grands succès se rapporte à l'histoire d'un homme appelé Robert Angkasa. Robert, un Indonésien titulaire d'une maîtrise en administration des affaires de l'université de Sydney, travaillait depuis un moment pour la Citibank, où il devint vice-président à Jakarta à l'âge de 30 ans.

Robert avait toujours travaillé fort. Pour payer ses études, il avait été chauffeur de taxi, employé de cuisine dans les restaurants et homme de ménage dans les stades après les concerts. Mais il y a quelques années, il a rencontré Mitch Sala. Mitch l'a pris sous son aile, lui a servi de motivateur et de mentor et l'a investi d'empowerment pour qu'il puisse devenir une personne d'influence.

«J'ai connu un tournant dans ma vie quand j'ai rencontré Mitch», dit Robert. «Au début, j'ai simplement remarqué sa gentillesse. Mais plus je passais de temps avec lui, plus je me rendais compte que je voulais lui ressembler tout en restant moi-même. Mitch m'a enseigné que la clé du succès se trouvait dans l'intégrité et le travail soutenu. Aujourd'hui, je goûte à la douceur d'une nouvelle vie. J'apprécie la sécurité financière qu'apporte le travail constant, mais plus encore, je suis en train de devenir quelqu'un de meilleur. J'éprouve énormément de plaisir et de satisfaction à aider les autres. Je me suis aussi amélioré en tant que personne, mari et père de famille. Ce que je suis aujourd'hui, je le dois en grande partie à Mitch. Il est un mentor, un ami et un parent. Je remercie Dieu chaque jour pour toutes ses bénédictions reçues à travers Mitch. Et maintenant, j'essaie de donner aux autres ce qu'il m'a donné. Je veux les aider à mieux vivre. Le mot *merci* me semble insuffisant, mais c'est le meilleur mot que j'ai pu trouver.»

Aujourd'hui, Robert a un impact sur la vie de milliers de personnes aux quatre coins de l'Indonésie, de la Malaisie, de la Chine et des Philippines. Il est un des leaders clés du monde des affaires à qui Mitch sert de mentor. Et l'influence de Robert ne cesse d'augmenter de jour en jour.

Mon ami, vous avez le même potentiel que Robert Angkasa, Mitch Sala ou Jim Dornan. Vous pouvez devenir une personne d'influence et avoir un impact sur la vie de beaucoup de gens. Mais c'est à vous de décider. Vous pouvez réaliser votre potentiel d'influence ou le laisser dormir. Jim a passé le relais à Mitch. Mitch a trouvé Robert et lui a appris à courir. Il lui a passé le relais avec succès et maintenant Robert continue de courir. Un autre coureur peut entrer dans la course – le bâton est prêt. La chance s'offre à vous maintenant. Tendez la main, attrapez le bâton et finissez la course que vous êtes le seul à pouvoir courir. Devenez une personne d'influence et transformez votre univers.

Liste de contrôle de votre influence

## GÉNÉRER D'AUTRES PERSONNES D'INFLUENCE

- ❑ **Développez votre potentiel de leader**. Le moyen de vous préparer à enseigner le leadership à quelqu'un, c'est de continuer à améliorer votre potentiel de leader. Si vous ne vous êtes pas déjà fixé un programme personnel de croissance, commencez dès maintenant. Choisissez des cassettes, des livres et des magazines avec lesquels vous travaillerez hebdomadairement pendant les trois prochains mois. La croissance n'est possible que si vous en faites une habitude.
- ❑ **Trouvez quelqu'un avec un potentiel de leader**. Pendant que vous continuez de favoriser le développement de ceux qui vous entourent et que vous les investissez d'empowerment, certains leaders potentiels émergeront. Choisissez celui qui possède le plus fort potentiel pour exercer un mentorat particulier avec lui et parlez-lui d'améliorer ses aptitudes de leadership. Ne l'aidez que s'il désire se développer et accepte de servir ultérieurement de mentor à quelqu'un d'autre.
- ❑ **Apprenez-lui à être un leader, pas seulement à accomplir des tâches**. Mettez-vous entièrement à sa disposition et passez beaucoup de temps avec lui pour lui servir de modèle de leader. Consacrez-lui du temps chaque semaine pour augmenter son potentiel en lui servant de professeur, en partageant des ressources avec lui, en l'envoyant à des séminaires, et ainsi de suite. Faites tout ce qui est en votre pouvoir pour l'aider à réaliser son potentiel de leader.
- ❑ **Favorisez l'effet multiplicateur**. Une fois qu'il est devenu un bon leader, aidez-le à choisir quelqu'un à qui il pourra servir de mentor en matière de leadership. Laissez-les travailler ensemble et trouvez-vous un nouveau leader potentiel pour reprendre le processus.

CHEZ LE MÊME ÉDITEUR:

**Ces titres sont offerts sous format de livres ou de cassettes audio.**

52 activités pour occuper vos enfants sans la télévision, *Phil Phillips*

52 cartes d'affirmations, *Catherine Ponder*

52 étapes pour atteindre le succès, *Napoleon Hill*

52 façons d'aider votre enfant à mieux réussir à l'école, *Jan Lynette Dargatz*

52 façons d'améliorer votre vie, *Todd Temple*

52 façons de développer son estime personnelle et sa confiance en soi, *Catherine E. Rollins*

52 façons d'élever des enfants sans se surmener, *Mary Manz Simon*

52 façons de faire des économies, *Kenny Luck*

52 façons de perdre du poids, *Carl Dreizler et Mary E. Ehemann*

52 façons de réduire le stress dans votre vie, *Connie Neal*

52 façons de rendre vos vacances en famille encore plus agréable, *Kate Redd*

52 façons d'organiser votre vie personnelle et familiale, *Kate Redd*

52 façons pour une mère active de gagner du temps, *Kate Redd*

52 façons simples d'aider votre enfant à s'aimer et à avoir confiance en lui, *Jan Lynette Dargatz*

52 façons simples de dire «Je t'aime» à votre enfant, *Jan Lynette Dargatz*

52 façons simples d'encourager les autres, *Catherine E. Rollins*

52 façons simples de s'amuser avec votre enfant, *Carl Dreizler*

52 rendez-vous amoureux, *Dave et Claudia Arp*

1001 maximes de motivation, *Sang H. Kim*

Accomplissez des miracles, *Napoleon Hill*

Agenda du Succès *(formats courant et de poche), éditions Un monde différent*

Aidez les gens à devenir meilleurs, *Alan Loy McGinnis*

À la conquête du succès, *Samuel A. Cypert*

À la recherche d'un équilibre: une stratégie antistress, *Lise Langevin Hogue*

Ange de l'espoir (L'), *Og Mandino*

Apprivoiser ses peurs, *Agathe Bernier*

Après la pluie, le beau temps!, *Robert H. Schuller*

Arrêtez d'avoir peur et croyez au succès!, *Jean-Guy Leboeuf*

Arrêtez la terre de tourner, je veux descendre!, *Murray Banks*

Ascension de l'empire Marriott (L'), *J.W. Marriott et Kathi Ann Brown*

Assurez-vous de gagner, *Denis Waitley*

Atteindre votre plein potentiel, *Norman Vincent Peale*

Attirez la prospérité, *Robert Griswold*

Attitude d'un gagnant, *Denis Waitley*

Attitude gagnante: la clef de votre réussite personnelle (Une), *John C. Maxwell*

Attitudes pour être heureux, *Robert H. Schuller*

Au cas où vous croiriez être normal, *Murray Banks*

Cadeau le plus merveilleux au monde (Le), *Og Mandino*

Comment attirer l'argent, *Joseph Murphy*

Comment contrôler votre temps et votre vie, *Alan Lakein*

Comment réussir l'empowerment dans votre organisation?*John P. Carlos, Alan Randolp et Ken Blanchard*

Comment se fixer des buts et les atteindre, *Jack E. Addington*

Comment vaincre un complexe d'infériorité, *Murray Banks*

Comment vivre avec soi-même, *Murray Banks*

Communiquer: Un art qui s'apprend, *Lise Langevin Hogue*

Découvrez le diamant brut, *Barry J. Farber*

De l'échec au succès, *Frank Bettger*

De la part d'un ami, *Anthony Robbins*

Dépassement total, *Zig Ziglar*

Développez habilement vos relations humaines, *Leslie T. Giblin*

Développez votre confiance et votre puissance avec les gens, *Leslie T. Giblin*

Développez votre leadership, *John C. Maxwell*

Devenez la personne que vous rêvez d'être, *Robert H. Schuller*

Devenez une personne d'influence, *John C. Maxwell* et *Jim Dornan*

Devenir maître motivateur, *Mark Victor Hansen et Joe Batten*

Dites oui à votre potentiel, *Skip Ross*

Elle et lui une union à protéger, *Willard F. Harley*

Enthousiasme fait la différence (L'), *Norman Vincent Peale*

Esprit qui anime les gagnants (L'), *Art Garner*

Être à l'écoute de son guide intérieur, *Lee Coit*

Eurêka!, *Colin Turner*

Éveillez votre pouvoir intérieur, *Rex Johnson et David Swindley*

Évoluer vers le bonheur intérieur permanent, *Nicole Pépin*

Faites la paix avec vous-même, *Ruth Fishel*

Fonceur (Le), *Peter B. Kyne*

Fortune à votre portée (La), *Russell H. Conwell*

Hectares de diamants (Des), *Russell H. Conwell*

Homme est le reflet de ses pensées (L'), *James Allen*

Homme le plus riche de Babylone (L'), *George S. Clason*

Il faut le croire pour le voir, *Wayne W. Dyer*

Je vous défie!, *William H. Danforth*

Légende des manuscrits en or (La), *Glenn Bland*

Livre d'or de l'optimiste (Le), *parrainé par Véronique Cloutier*

Livre d'or des relations humaines (Le), *parrainé par Pierre Lalonde*

Livre d'or du bonheur (Le), *parrainé par Diane et Paolo Noël*

Livre d'or du gagnant (Le), *parrainé par Manuel Hurtubise*

Lois dynamiques de la prospérité (Les), *Catherine Ponder*

Magie de croire (La), *Claude M. Bristol*

Magie de penser succès (La), *David J. Schwartz*

Magie de s'autodiriger (La), *David J. Schwartz*

Magie de voir grand (La), *David J. Schwartz*

Maigrir par autosuggestion, *Brigitte Thériault*
Maître (Le), *Og Mandino*
Même les aigles ont besoin d'une poussée, *David McNally*
Mémorandum de Dieu (Le), *Og Mandino*
Menez la parade!, *John Haggai*
Mes valeurs, mon temps, ma vie!, *Hyrum W. Smith*
Monde invisible, monde d'amour, *Joanne Boivin et Carole Champagne*
Motivation par l'action (La), *Jack Stanley*
Napoleon Hill et l'attitude mentale positive, *Michael J. Ritt*
Objectif: Réussir sa vie et dans la vie!, *Richard Durand*
Osez Gagner, *Mark Victor Hansen et Jack Canfield*
Ouvrez votre esprit pour recevoir, *Catherine Ponder*
Ouvrez-vous à la prospérité, *Catherine Ponder*
Paradigmes (Les), *Joel A. Baker*
Pensée positive (La), *Norman Vincent Peale*
Pensez du bien de vous-même, *Ruth Fishel*
Pensez en gagnant!, *Walter Doyle Staples*
Performance maximum, *Zig Ziglar*
Personnalité plus, *Florence Littauer*
Plus grand miracle du monde (Le), *Og Mandino*
Plus grand mystère du monde (Le), *Og Mandino*
Plus grand secret du monde (Le), *Og Mandino*
Plus grand succès du monde (Le), *Og Mandino*
Plus grand vendeur du monde (Le), *Og Mandino*
Pourquoi se contenter de la moyenne quand on peut exceller?, *John L. Mason*
Pouvoir de la pensée positive (Le), *Eric Fellman*
Pouvoir de la persuasion (Le), *Napoleon Hill*
Pouvoir de l'optimisme (Le), *Alan Loy McGinnis*
Pouvoir de vendre (Le), *José Silva et Ed Bernd fils*
Pouvoir triomphant de l'amour (Le), *Catherine Ponder*
Prenez du temps pour vous-même, *Ruth Fishel*

Prenez rendez-vous avec vous-même, *Ruth Fishel*
Progresser à pas de géant, *Anthony Robbins*
Provoquez le leadership, *John C. Maxwell*
Psychocybernétique (La), *Maxwell Maltz*
Puissance de votre subconscient (La), *Joseph Murphy*
Puissance d'une vision (La), *Kevin McCarthy*
Quand on veut, on peut!, *Norman Vincent Peale*
Que faire en attendant le psy?, *Murray Banks*
Regard au-dessus des nuages, *Joanne Boivin et Carole Champagne*
Relations humaines, secret de la réussite (Les), *Elmer Wheeler*
Rendez-vous au sommet, *Zig Ziglar*
Retour du chiffonnier (Le), *Og Mandino*
Réussir grâce à la confiance en soi, *Beverly Nadler*
Roue de la sagesse (La), *Angelika Clubb*
Route de la vie (La), *Carolle Anne Dessureault*
S'aimer soi-même, *Robert H. Schuller*
Se connaître et mieux vivre, *Monique Lussier*
Secret de la vie plus facile (Le), *Brigitte Thériault*
Secret d'une prospérité illimitée (Le), *Catherine Ponder*
Secrets de la confiance en soi (Les), *Robert Anthony*
Secrets de la vente professionnelle, *Jean-Guy Leboeuf*
Secrets d'une vie magique, *Pat Williams*
Secrets pour conclure la vente (Les), *Zig Ziglar*
Se guérir soi-même, *Brigitte Thériault*
Semainier du Succès (Le), *éditions Un monde différent ltée*
Sept lois spirituelles du succès (Les), *Deepak Chopra*
S.O.S. à l'amour, *Willard F. Harley, fils*
Sport versus affaires, *Don Shula et Ken Blanchard*
Succès d'après la méthode de Glenn Bland (Le), *Glenn Bland*
Télépsychique (La), *Joseph Murphy*
Tiger Woods: La griffe d'un champion, *Earl Woods et Pete McDaniel*
Tout est possible, *Robert H. Schuller*
Un, *Richard Bach*

Vente: Étape par étape (La), *Frank Bettger*

Vente selon Ziglar (La), *Zig Ziglar*

Vente: Une excellente façon de s'enrichir (La), *Joe Gandolfo*

Vie est magnifique (La), *Charlie «T.» Jones*

Visez la victoire!, *Lanny Bassham*

Vivre au cœur de la tornade, *Diane Deslauriers et Esther Matte*

Votre droit absolu à la richesse, *Joseph Murphy*

Votre liberté financière grâce au marketing par réseaux, *André Blanchard*

Votre plus grand pouvoir, *J. Martin Kohe*

Vous êtes unique, ne devenez pas une copie!, *John L. Mason*